科研費
採択される3要素
第2版
アイデア・業績・見栄え

名古屋市立大学　学長

郡　健二郎

医学書院

著者紹介

郡　健二郎　Kenjiro Kohri
公立大学法人　名古屋市立大学　理事長・学長

略歴
大阪府東大阪市生まれ，1973年大阪大学医学部卒業．東大阪市立中央病院泌尿器科，近畿大学医学部講師，その間日本学術振興会特定国派遣研究員および British Royal Society との交換研究員として南マンチェスター大学（英国）留学を経て，1993年名古屋市立大学医学部教授，同大学病院長（兼任），同医学研究科長・医学部長（兼任），2014年からは名古屋市立大学　理事長・学長

受章歴　紫綬褒章
受賞歴　日本医師会医学賞，中日新聞社中日文化賞，東海テレビ文化賞，杉田玄白賞，日本泌尿器科学会坂口賞など

本書に関して，著者の3つの特徴
1) 研究
　外国人には採択率が厳しいとされるアメリカ泌尿器科学会で，採択演題数が2年連続トップ10に取り上げられた．
2) 人材育成
　教室員の受賞件数（学会および民間を通して）が，教授在職中に約200件であることがマスコミなどで報じられた．
3) 科研費
　細目（泌尿器科）の中で，2015年までの5年間の採択件数が全国1位であることが文部科学省ホームページで公表された．

科研費 採択される3要素─アイデア・業績・見栄え

発　　行	2016年7月15日　第1版第1刷
	2016年11月15日　第1版第4刷
	2017年6月15日　第2版第1刷Ⓒ
	2024年3月15日　第2版第4刷
著　　者	郡　健二郎（こおり　けんじろう）
発行者	株式会社　医学書院
	代表取締役　金原　俊
	〒113-8719　東京都文京区本郷1-28-23
	電話　03-3817-5600（社内案内）
組　　版	ビーコム
印刷・製本	日経印刷

本書の複製権・翻訳権・上映権・譲渡権・貸与権・公衆送信権（送信可能化権を含む）は株式会社医学書院が保有します．

ISBN978-4-260-03220-9

本書を無断で複製する行為（複写，スキャン，デジタルデータ化など）は，「私的使用のための複製」など著作権法上の限られた例外を除き禁じられています．大学，病院，診療所，企業などにおいて，業務上使用する目的（診療，研究活動を含む）で上記の行為を行うことは，その使用範囲が内部的であっても，私的使用には該当せず，違法です．また私的使用に該当する場合であっても，代行業者等の第三者に依頼して上記の行為を行うことは違法となります．

JCOPY　〈出版者著作権管理機構　委託出版物〉
本書の無断複製は著作権法上での例外を除き禁じられています．複製される場合は，そのつど事前に，出版者著作権管理機構（電話 03-5244-5088，FAX 03-5244-5089，info@jcopy.or.jp）の許諾を得てください．

序

　第2版を上梓するに至った理由を2つ述べ，序といたします．

1) 深い感謝

　昨年7月，拙書を発刊しました．その後，科研費の申請月を中心に8月から11月まで，予想をはるかに超える多くの方々に拙書を手に取っていただきました．毎月増刷され，一般新聞でも取り上げられ，東大の本郷生協では毎週売上トップが続いたと教えていただきました．ご愛顧いただいた皆さまに深く感謝申し上げます．

　本年4月には，「科研費に初めて採択された」，「門外不出の資料が役立った」など，丁重なるお礼状を多数いただきました．申請書を校閲させていただいた研究者のみならず，直接存じ上げない研究者からのお便りには嬉しさと同時に，責任の重さに身が引き締まる思いがいたしました．

　各大学からの科研費セミナーの依頼には，時間の許す限りお引き受けしました．私がこれまで最も力点をおいている若手研究者の育成に，少しでもお役に立ちたいとのボランティア精神からです．しかし日程が合わず，ご要望にお応えできなかった方々には，この書面でも深くお詫び申し上げます．

　第2版を上梓するにあたっては，皆さまからいただいた疑問点やご意見を参考にし，初心に戻って拙書を読み直しました．私が言いたい2つのこと，「研究の大切さ」と「採択される申請書の条件」は，私の拙い経験からではありますが，おおむね書き表せていると改めて確信いたしいたしました．

2) 平成30年度(平成29年9月申請)からの大幅な改定

　平成30年度からは科研費の制度が大幅に改定されます．このことは昨年の初版時にもわかっていたので，その概要を初版に載せました．第2版では，正式に公表された主に2つの改定点を中心に，第2章を全面的に改訂しました．

　改定の内容は膨大なのでポイントのみを載せていますが，文科省の原文をできる限り尊重したので，格調高い文章になっています．

　今回の科研費の改定にいかに対応し，採択率を高めるかを，第2章で述べました．愚見をまとめていて感じたことは，大幅な改定により，研究者や科研費担当の事務の方々は若干の戸惑いはあるでしょうが，その戸惑いは1，2年のことです．科研費を採択されるために肝心要なのは「独創的で優れた研究をすること」と「採択される申請書を書くこと」で，それらは大幅改定でも変わらないことです．

最後に，皆さんに留意していただきたいことを2つ述べます．

　1つ目は，第2章を全面的に改訂した直後の本年6月に，文部科学省による説明会が行われ，「応募書類の変更点」の概要が公表されたことです．それらは付録6（➡164頁）に抜粋を載せています．応募書類の変更点は，これまでのものと多少の違いはありますが，拙書の中で強調している申請書の書き方と変わるものではありません．とりわけ，「研究目的」では「概要」が大切で，「起承転結」の考えを基本にして，誰にでもわかるように書くことです．今回の改定から推察されることをあえて言えば，今後の審査方針は，従来に比べ，「業績」よりも「アイデア」が重視されるであろうことです．この方針は，拙書でも述べてきたところと一致するもので，「採択される3条件」の中でも最も重要なのは「アイデア」，次いで「業績」，さらに「見栄え」があることです．日頃の地道な研究が大切です．

　2つ目は，9月に正式に公表される「公募要領」を精読していただきたいことです．上記の6月の説明会でも言われていますが，さらに小さな改定がある可能性があるからです．いずれにしても例年に比べ少し早く準備をすることが「科研費に採択される4つ目の条件」かもしれません．

　初版にてご執筆いただきました髙久史麿先生の「推薦のことば」と合田哲雄様の「発刊に寄せて」を，第2版でも掲載させていただきました．お2人には改めて深く感謝申し上げます．

　拙書にはすべてのことが書かれています．申請書を作成する時には参考書のようにして，時間にゆとりのある時には読み物や教科書のようにして，拙書をご利用いただけると望外の喜びです．

　採択されますことを心よりお祈りしながら．

2017年6月吉日

名古屋市立大学
郡　健二郎

推薦のことば

　このたび，名古屋市立大学理事長・学長を務めておられる郡健二郎先生が執筆された『科研費　採択される3要素―アイデア・業績・見栄え』の推薦文の執筆を本書の出版元である医学書院から依頼された．

　郡先生は泌尿器科学を専門とされておられ，そのご業績に対して紫綬褒章をはじめ，数々の賞を受賞されておられるが，そのなかに平成16年に受賞された，「尿路結石症の病態解明と予防法への応用研究」と題する論文に対する日本医師会医学賞がある．私はそのとき，日本医学会の会長として医学賞の選考に携わったが，この医学賞は日本医学会に加盟している基礎・社会・臨床のすべての分野の研究者から申請を受け，そのなかの3名だけに受賞が限られるので，泌尿器系の先生が受賞されるのは珍しいことであった．そのため郡先生のことは私の記憶に強く残っていた．その郡先生が上記の題で200頁近い本をご自身で執筆されたことは私にとって大きな驚きであった．

　この本は「研究の楽しさ，美しさ」「科研費の制度を知る」「申請書の書き方」「見栄えをよくするポイント」の4章に分かれているが，特に第3章の「申請書の書き方」では実際の申請書の執筆形式に沿う形で，それぞれの項目において基本的に注意すべき点(基本編)と，実際にどのように書くか(実践編)について詳細に記載されており，科研費を申請される方にとってきわめて有用かつ実用的な内容となっている．

　また，第4章の「見栄えをよくするポイント」についての記述には，今まで数多くの科研費の審査にあたってきた私自身にとっても思い当たる点が数多くあり，郡先生が本書で述べている科研費が採択される3要素の1つに「見栄え」をあげられた理由がよくわかった．私の経験では，科研費の審査の際，どうしても申請内容の新規さと申請者の過去の業績に目が向きがちであったが，考えてみると読みやすさも評価の大きなポイントであった．

　2013年にあったディオバン事件を契機にして，従来からあった企業からの奨学寄付金がかなり減額したと聞いている．また，国立大学法人への運営費交付金も毎年減額されており，研究者は文部科学省の科学研究費，AMEDからの科研費，民間の研究助成財団からの研究費などを受けなければ研究ができない状況になっている．郡先生が第1章で書かれているように，わが国からの研究成果の発表論文数は減少しており，中国に追い抜かされつつあるのが現状である．本書を精読することによって，能力のある研究者が科研費をより多く受けられるようになることを期待している．したがって，本書はわが国の医学の進歩にきわめて重要な役割を果たすと考えられ，本書を出版された郡先生に心から敬意を表したい．

2016年6月

日本医学会会長
髙久　史麿

発刊に寄せて

　2015年1月まで，私は文部科学省研究振興局の学術研究助成課長として科研費を担当していた．周知のとおり，わが国最大の競争的資金である科研費の審査は，私どものような事務方の容喙する余地のない完全なピアレビューによって行われており，科研費が研究者の間でも社会においても最も信頼されている最大の理由となっている．このことに私自身，大きな誇りを感じながら科研費を担当していた．

　担当課長として科研費の審査に陪席していたある日，1年間派遣されていたNSF（米国科学財団）での，あるプログラムオフィサーとした次の対話を思い出した．NSFには500人ほどのプログラムディレクター（PD）・プログラムオフィサー（PO）がいるが，その約半分は大学からの「ローテーター」，大学教員からの出向組だ．私にとって不思議だったのは，30代後半から40～50代の自然科学者がなぜ1～2年にわたって大学を離れるというリスクを背負ってまでNSFに来るのか，ということだった．そのことを，私と同世代，大学1年のときに北京大学の学生として天安門事件に遭遇し渡米，スタンフォードでPh.D.を取り30代でペンシルベニア州立大学のコンピュータサイエンスの教授になったうえでNSFのPOをしている若手の俊英に尋ねたことがあった．彼は，「NSFのPOでいることは研究にとって決してマイナスではない．ペンステートのような有数の研究大学であっても研究室に1日座って得られる情報と，新しいアイデアを抱えた研究者がどんどんやって来るNSFで得られる情報とでは，質・量ともに全然違う．もちろん盗用するわけではないが，研究者としてのインスピレーションが湧く」と言っていた．研究費の審査がいかに創造的な仕事なのかを知った瞬間だった．

　本書において郡学長が指摘なさっているとおり，科研費の申請とは，自分の研究上の「アイデア」を，ディシプリンに基づいた論理とフィージビリティ（「業績」）を明らかにしながら，専門分野や実績，経験の異なる第三者にわかりやすく（「見栄え」）アピールし，学術研究上の新規性，卓越性のみをルールとする土俵で存分に競い合うある種のコミュニケーションであり，そこからさらに新たなアイデアが創発される創造的な営為にほかならない．だからこそ，本書は，若い研究者に研究の楽しさ美しさを知ってもらいたい，わが国の研究力を高めたいという郡学長の思いに満ちている．

　本書が1つの契機となって，多くの研究者が自らのアイデアを冷静にメタレベルで捉え直したうえで分かりやすく表現し，研究者同士や社会とのコミュニケーションを通して，さらにアイデアが触発されるという「知の循環」が一層盛んになり，わが国の研究力が強くしなやかになることを心から期待している．また，現在私は小・中・高校のカリキュラムを担当しているが，この「知の循環」のなかで輝く研究者の姿は，子供たちにとって大切なロールモデルであると痛感している次第である．

2016年6月

文部科学省初等中等教育局教育課程課長

合田　哲雄

初版 序

本書を執筆するきっかけになった 4 つの理由をお話しし，序といたします．

1）私が持っている「科研費」のすべてを伝えたい

一昨年秋，文部科学省（以下，文科省）は，科研費の獲得件数を細目別にみた大学ランキング上位 10 校を公表しました．

その公表を知ったのは，当時文科省の科研費を担当する課の課長だった合田哲雄さんの「名市大の泌尿器科は，獲得件数が突出して多いですね」との話からでした．

その後，私のもとに，「申請書をみてほしい」，「書き方のセミナーをしてほしい」などの依頼を，学内外のみならず，私の専門外からもいただきました．昨年夏から秋にかけては，土，日曜日を含め空いている時間はそれらに割きました．

そんな折，セミナーを聴講された先生方からは，「他の人も聞きたかったでしょうね」との過分な話や，セミナーの準備をしていただいた秘書さんからは，「本を書いたらどうですか」といった，来年も同じことをするのか，とも聞こえるような話に後押しされ，執筆に至りました．

なお，この 4 月には，昨年申請書を見せていただいた大学や研究者から嬉しいお便りをたくさんいただきました．教育者冥利に尽きます．

本書の内容は，私の長年の経験と知識・知恵の集大成です．持てるものをすべて書き込んだつもりです．

教授時代には，毎年 20 名余りの申請書を，1 人数回にわたって完成するまでアドバイスしました．当初は，申請書の体裁をなしていなかったものが大半でしたが，毎年同じことを繰り返すたびに，私の補助をする人材が次々に育ちました．

大学や学会でも「科研費申請書の書き方」の講演を何回かにわたってしました．そのあとには決まって「私の申請書が採択されなかったのはどこが悪いのでしょうか」と熱心な方が尋ねに来られました．そのような方の申請書からは，反面教師のようにして学ぶことが多かったように思います．

泌尿器科学分野における科研費の新規採択累計数上位 10 校（2010～2014 年）

順位	大学名	累計数
1	名古屋市立大学	78.5
2	K 大学	39.0
3	K 大学	27.5
4	O 大学	27.0
5	O 大学	23.0
6	T 大学	20.0
7	Y 大学	17.0
7	F 大学	17.0
9	A 大学	16.5
10	K 大学	16.0

〔日本学術振興会より〕

2) 若い人に「研究の楽しさ，美しさ」を知ってもらうことで，応援したい

このようにして，多くの申請書を見せていただいて気付いたことは，若い研究者は優秀で，研究熱心だが，「基本」が身についていないことです．時には，このようなことで論文の作成や研究の遂行は大丈夫だろうかと心配になることがありました．

「研究のおもしろさを申請書に書ききれていませんね」とか，「読む気になる申請書に書き変えましょう」などと話すことは多かったのです．しかし，それらの問題点はテクニックである程度直すことができます．

問題なのは，「その研究をなぜ始めたのですか」，「オリジナリティは何ですか」，「その研究はどんなことに役立つのですか」といった質問をついしてしまう申請書が多かったことです．

多分，そのような方々は，「研究の楽しさ，美しさ」を知ることがないので，独創性や発展性は生まれず，心ときめかす研究生活は得られないことだろうと思います．

そこで本書では，「申請書の書き方のコツ」（第3，4章）を話すだけでなく，「研究の楽しさ，美しさ」や「研究サイクル」の大切さを知っていただきたく，私の考えを第1章に力を込めて書きました．

3) わが国の研究力を高めたい

わが国の研究力が諸外国に比べ低下していることが，最近問題になっています．本書でも，この点については第1章で触れています．

学会や学術雑誌が増えたにもかかわらず，「聞きたい，読みたい」と思う論文が逆に少なくなっているのはなぜでしょう．その理由の1つは，それらの論文は似たような内容が多く，新規性や独創性が乏しいからだと思います．

昨今，研究成果を早急に求められているためか，研究時間が少なくなっているためか，ハングリー精神が薄れ大きな目標を見失っているためか，いずれにしてもじっくり考えながら研究をする人が少なくなっているように思えます．

本書では，このようなことを改善したいとの強い思いで，執筆をしました．

4) 危ない科研費を守りたい

前述の文科省の合田課長さんは，なぜ「科研費大学ランキング」を公表されたのでしょうか？

公表された当時は，国家プロジェクトとしたAMEDなどの大型研究資金に研究費を集中させる動きがあり（今もあります），その財源として科研費の二千数百億円がターゲットになったように思います．その動きを阻止するのが「大学ランキング」の公表で，細目（専門分野）によっては，地方大学や中小規模の大学のなかにも「キラリと輝く研究」があることを，文科省は示したかったのでしょう．

その取り組みが功を奏してか，小さな研究を支援するムードが高まり，科研費予算はギリギリの線で守られました．私は，文科省のこの取り組みに敬意を表しています．

研究費は，基盤的経費と競争的研究資金とに大別されます．基盤的経費の代表格は科研費と運営費交付金です．昨今，基盤的経費が減り続け，競争的研究資金を獲得しなければ，研究は

おろか教育にも支障が出始めています．この動きは，大学間の格差をさらに増長させています（キラリと輝く申請書17 ➡ 134頁）．

このような偏在により，すぐれた人材が潤沢な研究費がある研究施設に集中するようになり，研究成果には研究者の能力や努力だけでは語りきれない格差が生じている一因になっています．その結果，地方大学や中小の大学では，基盤的経費で行われてきた裾野の広い独創性に富んだ研究が激減していることが指摘されています．

特化した研究を推進することは不可欠で，本学でも同様の方針で研究支援をしています．一方，次世代を担う若手研究者の育成や，大型研究ではないがユニークな研究を支援することは重要です．それらには基盤となる研究費が必要なのです．

社会から「科研費はもっと必要だ」と言われるためには，あなた方若い世代が，科研費を用いて独創的な社会に役立つ研究を世界に発信することだと思います．

そのようなことも念頭におき，本書を執筆しました．

謝辞

本書の出版に当たっては，「郡との二人三脚で，自分にとっても代表作となる書籍を作りたい」との思いでご尽力いただいた医学書院の渡辺一さん，科研費申請書を本書の具体例として快く提供していただいた先生方，そしてご協力いただいた秘書生駒桂子さん，河村千尋さん，早川喜代さん，市川教子さんにこの場をお借りして深く感謝申し上げます．

2016年6月吉日

名古屋市立大学

郡 健二郎

目次

序 …………………………………………………………………………………… iii
推薦のことば ……………………………………………………………………… v
発刊に寄せて ……………………………………………………………………… vii
初版 序 …………………………………………………………………………… ix
本書の特色と使い方 ……………………………………………………………… xviii
科研費を申請する前のチェックリスト ………………………………………… xxii

第1章 研究の楽しさ，美しさ　　1

1 科研費が採択される3つの要素「アイデア・業績・見栄え」……………… 4
2 「研究の楽しさ，美しさ」を知っていただきたい ………………………… 6
3 なぜわが国の研究は停滞しているのか？…………………………………… 7
4 すぐれた研究をするための12の条件 ……………………………………… 11
5 なぜ申請書を書くのか？……………………………………………………… 21

第2章 科研費の制度を知る　　23

1 科研費の制度が，平成30年度(平成29年9月申請時)から大幅に改定 … 26
2 申請時の「審査区分」と「審査方式」の抜本的な改革 ……………………… 28
3 「若手研究」と「挑戦的萌芽研究」の大幅な見直し ………………………… 32
4 採択率と充足率のバランス …………………………………………………… 34
5 新制度への改定について思うこと …………………………………………… 35

第3章 申請書の書き方　37

A 研究課題 — 38

I 基本編 — 39
1 「研究課題」の申請書における位置づけ — 39
2 「研究課題」を書くコツと落とし穴 — 40

II 実践編 — 43

B 研究目的①（概要）— 44

I 基本編 — 45
1 研究目的（概要）は，論文の abstract と同じである — 45
2 概要の書き方の基本型は，「起承転結」である — 46
3 「起承転結」で何を，どのように書くか — 47
4 「起承転結」の分量とそれぞれの配分 — 52
5 「概要」の書き方に慣れるまでのコツ — 53
6 その他の留意点 — 55

II 実践編 — 56
1 実例から学ぶ；その前に7つの留意点 — 56

C 研究目的②（学術的背景，研究動向，着想までの経緯など）— 63

I 基本編 — 66
1 「研究目的で審査評価は決まる」との思いで書く — 66
2 「研究目的」を書くコツと落とし穴 — 67

II 実践編 — 68
1 「学術的背景（[1]本研究に関連する国内外の動向および位置づけ）」の書き方 — 68
2 「学術的背景（[2]これまでの研究成果を踏まえた着想）」の書き方 — 70
3 「研究期間内に何をどこまで明らかにするのか」の書き方 — 74

  4 「①本研究の学術的な特色・独創的な点，②予想される結果，③意義，将来性」の書き方 ……………………………… 76
  5 「研究目的」に書く4つの項目の配分比率 …………………………… 78
  6 「研究目的」における文献の書き方 …………………………………… 78
  7 「見栄え」をよくするために …………………………………………… 80

D 研究計画・方法 — 96

I 基本編 …………………………………………………………………… 98
  1 「研究計画・方法」の申請書における位置づけ …………………… 98

II 実践編 …………………………………………………………………… 99
  1 「研究計画」を書くコツと落とし穴 ………………………………… 99

E 準備状況および研究成果を社会・国民に発信する方法 — 114

I 基本編 …………………………………………………………………… 115
  1 書く前の注意点 ………………………………………………………… 115
  2 本研究を実施するために使用する研究施設・設備・研究資料など，現在の研究環境の状況 ………………………………………………… 115
  3 研究分担者（若手研究では研究協力者）がいる場合には，その者との連絡調整状況など，研究着手に向けての状況（連携研究者および研究協力者がいる場合も必要に応じて記述）…………………………… 115
  4 本研究の研究成果を社会・国民に発信する方法など ……………… 116

II 実践編 …………………………………………………………………… 117
  1 書き方の実例 …………………………………………………………… 117

F 研究業績 — 118

I 基本編 …………………………………………………………………… 119
  1 「研究業績」は科研費が採択される第一歩である ………………… 119
  2 書き方のポイント ……………………………………………………… 120
  3 重要な変更点 …………………………………………………………… 120

4　あなたの研究業績が少ないときにどうするか？ ······················· 121
　II 実践編 ·· 123
　　　1　書き方の実例 ·· 123

G これまでに受けた研究費とその成果等 ─────── 126
　I 基本編 ·· 126
　　　1　書き方のポイント ·· 126
　II 実践編 ·· 127
　　　1　書き方の実例 ·· 127

H 人権の保護および法令等の遵守への対応 ─────── 129
　I 基本編 ·· 129
　　　1　研究をする前に研究倫理を見直す ··· 129
　II 実践編 ·· 130
　　　1　書く対象と書き方の実例 ·· 130

I 研究経費の妥当性・必要性 ──────────── 131
　I 基本編 ·· 131
　II 実践編 ·· 132

J 研究経費（設備備品費，消耗品費，旅費等） ─────── 133
　I 基本編 ·· 133
　II 実践編 ·· 135
　　　1　設備備品費の書き方とその実例 ··· 135
　　　2　消耗品費の書き方とその実例 ·· 136
　　　3　旅費，人件費・謝金，その他の書き方とその実例 ··· 136

K 研究費の応募・受け入れ等の状況・エフォート ─────── 137

第4章 見栄えをよくするポイント　　139

Ⅰ 基本編 ……………………………………………………………………… 141
1. 「見栄え」は「採択される3要素」の1つである …………………… 141
2. なぜ，業績があり，先端研究なのに採択されないのか？ ………… 142

Ⅱ 実践編 ……………………………………………………………………… 143
1. 余裕のスペースを作る ………………………………………………… 143
2. すっきりした申請書にする …………………………………………… 144
3. 図表を用いる …………………………………………………………… 145
4. わかりやすい文章のコツ：「流れのある文章」を書く ……………… 150
5. 申請書全体のレイアウトを見直す …………………………………… 155

付録　　157

① 申請書を引き立てる表現 ………………………………………………… 158
② 文の接続に有用な表現 …………………………………………………… 159
③ 科研費の第1段審査（書面審査）における評定基準 ………………… 160
④ 予算額等の推移 …………………………………………………………… 162
⑤ 問い合わせ先等 …………………………………………………………… 163
⑥ 新たな応募書類（研究計画調書） ……………………………………… 164

索引 …………………………………………………………………………………… 165

キラリと輝く申請書

1. 先生，どうして科研費の採択が多いのですか？ ……………………………… 6
2. 私のよき共同研究者 ……………………………………………………………… 14
3. 「私の恩人；2人のK先生」「人に支えられ，人を育て，人に尽くす」 …… 15
4. 研究するのに必要な費用は？ …………………………………………………… 22
5. 「研究サイクル」；正か負か，それが問題だ ………………………………… 22
6. 研究種目「若手研究」に思うこと ……………………………………………… 27
7. どの研究種目，どの区分に申請するのが有利か ……………………………… 31
8. 応募書類を修正しながら思うこと—科研費事務担当者より① ……………… 31
9. 1つ上の科研費にアタックしよう ……………………………………………… 36
10. とにかくお願い—科研費事務担当者より② …………………………………… 36
11. 「起承転結」こそ科研費の採択を左右する …………………………………… 46
12. 0.9 × 0.9 × 0.9 × 0.9 の原則 …………………………………………………… 57
13. パラグラフ・ライティングの書き方とは？ …………………………………… 69
14. 独創性ある研究 …………………………………………………………………… 94
15. 自己アピールはどの程度するか ………………………………………………… 116
16. 熱意こそ採択への道 ……………………………………………………………… 122
17. 研究費に思うこと（その1）；研究費にも「格差社会」がある ……………… 134
18. 申請書を書き終わったところで，もう一度（その1） ………………………… 138
19. 申請書を書き終わったところで，もう一度（その2） ………………………… 138
20. 研究費に思うこと（その2）；研究費に格差をきたしている他の原因とは …… 143
21. 研究費に思うこと（その3）；科研費の必要性を，研究成果で示そう ………… 149

本書の特色と使い方

1)「科研費が採択される3つの要素(アイデア・業績・見栄え)」のすべてを会得できるように使ってください

本書では,これら3要素を4つの章,付録,「科研費を申請する前のチェックリスト」で説明しています.

皆さんは,「申請書の書き方のコツ」すなわち"見栄え"を早く会得したいと思われることでしょう.それらは第3章,第4章にしっかり書きました.しかし,科研費が採択されるには「アイデアと業績」がより重要で,それらは第1章に「研究の楽しさ,美しさ」として書いています.時間の余裕があるときに必ず通読してください.新たな「アイデア」が生まれ,「業績」が積み重なるきっかけになるものと確信しています.

2) 本書の構成は,4つの章,科研費を申請する前のチェックリスト,付録,コラムからなります

各章では,まず初めに **Point** を設け,章のエッセンスを書きました.大切なことばかりです.各章の目次の働きもしています.それらに目を通すと「その章の流れ」がわかると思います.

Point に続き,第3章と第4章では,**「基本編」**があり,申請書の書き方の基本事項を説明しています.その後には**「実践編」**で,紙面の許すかぎり多くの具体例を示しています. **Before** , **After** の形式(一部は **Hop** , **Step** , **Jump** の形式)をとり,多くの研究者が陥りやすい落とし穴を赤字で示し,それらを改善するコツを丁寧に書きました.

ここでお断りしたいのは,①具体例にある,申請書の内容,氏名,年月などはすべて本書に向けて加筆修正したものであること,②重複した記述はあえてしたもので,それらは特に重要であることです.

3) 付録,コラム「キラリと輝く申請書」には,非常に重要なインフォメーションがあります

通常の書物では,「付録」は付け足しの感があり,「コラム」はコーヒーブレイクの働きをしていることが多いようです.本書の付録とコラムは,本文の中には書ききれなかった内容を示しています.科研費を獲得する上において非常に有益なインフォメーションを,力を込めて書きました.

付録は6項目からなります.特に有益なのは,「付録1　申請書を引き立てる表現」,「付録2　文の接続に有用な表現」,「付録3　科研費の第1段審査(書面審査)における評定基準」の3つです.付録1,2については,これまでの集大成で,門外不出としていたものです.これ

らを上手に用いれば，あなたのよき味方になることでしょう．

　コラムの名前は「キラリと輝く申請書」としました．「キラリと輝く研究」（初版の序を参照）をあなたにしていただきたいとの思いからです．20余りのコラムの中で，2つは科研費を担当している本学事務によるもの，残りは私からのアドバイスです．あなたがアイデアに富んだ研究をし，採択される申請書を書くためのものです．

　これらのことから，付録とコラムについては，目次の中にタイトルと掲載頁を明確に示しています．

4)「科研費を申請する前のチェックリスト」も門外不出の資料です

　「本書の特色と使い方」のあとには，「科研費を申請する前のチェックリスト（以下，チェックリスト）」を載せています．本文の前なので，見落とさないでください．

　チェックリストは，私たちが長年にわたってブラッシュアップして作り上げた資料です．門外不出の大切な資料ですが，本書のために用いることにしました．申請書を書き上げるとホッとするものですが，その時にチェックリストを用いると，独りよがりになっていた書き方に気づき，科研費が採択されたケースがしばしばありました．

　チェックリストは，使い勝手がよいように4頁にまとめています．本書のエッセンスを集約したものです．研究をする上においても，申請書を書く上においてもあなたの味方です．

　チェックリストの項目を流し読みするだけで，私の言いたいポイントが具体的に言えるようになると，あなたの科研費のレベルは，免許皆伝の境地です．例えば，「なぜ申請書を書くのか？」，「研究サイクルとは何か？」，「320文字の世界とは？」，「起承転結の書き方とは？」，「見栄えのよい申請書のコツを20挙げなさい」などです．

　チェックリストには，□□が付いています．それらの使い方は2通りあります．1つ目は，1回のチェックでは不十分なので，チェックを2回するためのもので，2つ目は，指導者とあなたが用いるためのものです．

　最初のうちは，チェックリストの項目は多いので，申請書を書き上げたあとにチェックリストを用いて申請書を見直すことは並大抵ではありません．しかし，私の周りの研究者はチェックリストの恩恵を受けてきたので，あなたにもお勧めします．

　申請書を書き上げたあとにすることは2つ．翌日声を出して読み返すこと（キラリと輝く申請書⑱➡138頁）と，チェックリストを用いることです．その熱意が科研費獲得への道です．

5) 本書は，「教科書と参考書」の2通りの使い方をしてください

　教科書としては，一度はすべてを読み流してしてください．本書の内容は，仔細な点まで多岐にわたり示した濃いものだと思います．できる限り平易な文章で，「ですます調」で書いていますので，一気に読むことができるでしょう．特に第1章を読んでください．

　参考書としては，申請書を書くときは，本書を横におき，首っ引きになって参照してください．特に実践編の実例と第4章の「見栄え」のポイント，付録1，2を照らし合わせながら申請

書を完成させてください．

　もう1つ大切な使い方は，提出前には，必ず科研費を申請する前のチェックリスト ➡ xxii 頁 を用いて，申請書を見直すことです．

6）本書の主たる対象は，若手研究，基盤研究（C）の申請者，そして事務・URA の方々です

　これらの読者を常に頭に描きながら執筆しました．加えて，熟達したベテラン研究者にも，申請書を見つめ直す機会となり，若手研究者への研究ならびに人生のご指導に役立てていただければ幸いでございます．なお本書について，お気づきの点がございましたらご指摘いただければと存じます（再掲10）．

　読者としてもう一人意識したのは，事務およびリサーチ・アドミニストレーター（以下，URA）の方々です．科研費の採択率を高めるには事務や URA の力が必須です．事務の方々が科研費に関心をもち，知識を深め，研究者に適切なアドバイスとサポートをすることが科研費採択への王道だと思います．

　本学でも，一昔前までは，事務の方々の科研費に対する意欲が薄く，つまらないミスが多かったのですが，中心となる人が1人誕生すると，そのあとは次々に科研費に精通した事務のエキスパートが生まれました．

　最近では，多くの大学に URA がおられ，科研費申請のアドバイスとサポートをされています．URA の熱意と能力で採択率は大きく変化するものです．

7）本書の対象は，医学のみならず薬学，歯学，看護学，農学，工学などの研究者です

　私の専門が医学であることから，本書で示した実例や文言は医学関係が多くなっています．できる限り幅広い領域の研究者に拙書を使っていただきたいとの思いで執筆しましたが，どうしてもやむを得ないことで申し訳なく思っています．

　しかし，研究の考え方や，申請書の書き方の基本は，領域に関係なく共通していると思います．科研費が採択される3要素も，領域に関係なく「アイデア・業績・見栄え」だろうと思います．

　研究室に1冊，拙書をおいていただき，愛読書になり，手あかにまみれることを願っています．

8）本書の内容は，科研費だけでなく，論文作成，学会抄録にも応用できます

　学会抄録のなかには，読む気にならないものがあります．その理由は，内容にオリジナリティがないこと，画一化した書き方であること，論理性がないこと，などが考えられます．タイトルに工夫がないので引きつけられず，最初と最後の1，2行を読むだけで抄録の内容が推測できるものがあります．それらの抄録は内容も書き方もパターン化しているためでしょう．本書をマスターして，他にはないひと味違う学会抄録を書いてください．

　論文作成は，出版社からの一定の指示があるので，独自性のある表現を醸し出すことは難し

いと思います．ただ言えることは，論文作成で共通して大切なことは，独自性・新規性・発展性のある内容を，論理的に（多くは「起承転結」で），簡潔に書くことです．それらは本書に流れる基本的な考え方です．

9) 本書はあくまでも基本型です．あなたのオリジナルな書き方を生み出してください

それにあたっては，あなた個人だけでなく，グループや大学（事務，URA）と一体となって，まず研究力を高めること，それをもとに申請書の書き方のコツを磨き上げることだと思います．つまり「研究サイクル」を実行させることです（第1章 ➡ 016頁）．でなければ，どの申請書も同じスタイルの無味乾燥なものになってしまいます．

本書を手に取っていただいた時点がスタートです．皆さんは，独創性ある研究をされ，魅力ある申請書を書くなかで，本書を（改変して）ブラッシュアップしてください．ゴールはいつまでもありません．

初版の序において，私の教授時代には長年の積み重ねにより，申請書の書き方を後輩に指導できる人が複数育った話をしました．その方々は研究業績もすぐれ，若手の指導にも熱心です．

ただ心配なのは，同じことを受け継いでいるのでは，マンネリになることです．審査委員を経験されたある先生が，「郡先生のところの申請書は素晴らしい．でも同じパターンですね．勉強になったので教室員に教えました」と話されました．的を射たこの指摘は重要です．たえずオリジナリティをもって進化せねばなりません．このことは，組織や社会が常に変革をせねばならないことと同じです．

10) 本書に対するご意見を医学書院までお寄せください

本書に対するご意見を是非，お聞かせください．これからの参考にさせていただきます．

本書があなたの研究と申請書作成に多少なりともお役に立ち，あなたの科研費が採択されますことを心より願っています．

また本書が皆さんにとって末永く愛読書になることができれば望外の幸せです．

科研費を申請する前のチェックリスト

[1] 申請書を書く前に

- ☐☐ なぜ申請書を書くのか，目的意識をもっているか
- ☐☐ ・後輩のため：研究費の獲得
- ☐☐ ・大学のため：名誉と間接経費の獲得
- ☐☐ ・本人のため：これまでの研究の整理とこれからの研究立案
- ☐☐ 「研究サイクル」で，成長することを理解しているか
- ☐☐ 公募要領は，毎年わずかに改訂されている
  平成29年6月の日本学術振興会による科研費改革説明会や学内の説明会，科研費HPで確認したか
  平成30年度（平成29年9月申請時）から大幅改定される予定（第2章 ➡ 026頁） **重要**
- ☐☐ 審査の流れを理解しているか（第2章 ➡ 028頁）
- ☐☐ 特に，4段階の各評定要素の内容を知って，作成しているか

[2] 申請書を書くときに

- ☐☐ 審査する人は誰かを考え，審査委員の心をつかむよう心掛けたか
- ☐☐ 審査委員が専門家とは限らない．他分野の研究者でも理解できる内容か（第3章B ➡ 049頁）
- ☐☐ 専門用語は図表や脚注を用いて説明したか

「研究種目」の選び方

- ☐☐ 研究種目を熟慮して選んだか
- ☐☐ 研究区分を熟慮して選んだか
- ☐☐ どのような研究テーマが採択されやすいか考えたか
- ☐☐ ・これまでの業績を発展させた研究になっているか
- ☐☐ ・教室のメインテーマの延長線上にある研究か
- ☐☐ ・社会の役に立つ研究か
- ☐☐ ・社会のニーズに基づいた研究か
- ☐☐ ・先進性・独創性ある研究か

「研究課題」のつけ方（第3章A ➡ 038頁）

- ☐☐ 研究課題名に熟慮したか
- ☐☐ ・キーワードが入っているか
- ☐☐ ・言いたいことをわかりやすく，すべて表しているか
- ☐☐ ・インパクトのある言葉があるか
- ☐☐ ・無駄な表現（重複）はないか
- ☐☐ ・最初と最後に強調したい文言が入っているか
- ☐☐ ・ほかの申請書を参考にしたか
- ☐☐ ・時流に乗った文言，表現を参考にしたか
- ☐☐ ・一昔前の流行の言葉を用いていないか

「研究目的①（概要）」の書き方（第3章B ➡ 044頁）

- ☐☐ 研究目的・概要は，最も重要と考えて書いたか
- ☐☐ 論文のabstractに相当するものとして作成したか
- ☐☐ 審査委員に，ここを読むだけで理解させ，興味をもたせる内容か
- ☐☐ 「320文字の短い世界」を論理的に書いたか
- ☐☐ 「起承転結」あるいは「三段論法」の手法を用いたか
- ☐☐ 「起」では，本研究にかかわる<u>国内外の動向・位置づけ</u>を書いたか
- ☐☐ ・一般的事項をダラダラ書いていないか

▶ 1回目　　月　　日　　▶ 2回目　　月　　日　　　　　　　　　　　　　　（項目によっては一部重複しています）
□が2つずつあるのは，2回チェックするためです．

- □□ ・本研究の必要性を強調するために用いたか
- □□ 「承」では，自分達の研究成果の<u>独創性，新規性</u>などをアピールしたか
- □□ ・医学的評価，社会的価値が高いことにさらりと触れたか
- □□ 「転」では，研究に至った<u>着想や経緯</u>を書いたか
- □□ ・これまでの研究成果に基づき，発展させる研究か
- □□ ・そのなかで疑問点，未解決点を着想としたか
- □□ 「結」では，<u>研究目的や研究内容，発展性</u>を書いたか
- □□ 「起承転結」の各つなぎとして，有効な接続詞を用いたか（付録2 ▶ **159頁**）
- □□ 書き慣れるまでは「キーワード」，「単文」を書き並べ，その後，不要なところを削ったか
- □□ 後述する研究目的の「4つの項目」のエッセンスをまとめたものか
- □□ 「概要」と本文との間の点線を動かしていないか

「研究目的②（学術的背景など）」の書き方（第3章C ▶ **063頁**）

- □□ 研究目的・研究の学術的背景は重要と考えているか
- □□ 4つの項目別に「小見出しあるいはアンダーライン」をつけたか
- □□ 項目ごとに「起承転結」の手法を用いたか
- □□ それぞれ，読みやすく，見栄えよくしたか
- □□ （1）「研究の動向」では，自分たちの研究成果をアピールしたか
- □□ ・他人のデータや一般的なことをダラダラ書いていないか
- □□ ・本研究の必要性を強調するために用いたか
- □□ ・自分たちのこれまでの研究成果を魅力的に述べたか（付録1 ▶ **158頁**）
- □□ ・発表論文・予備実験を引用したか（時には図を用いて）
- □□ （2）「着想に至った経緯」はもっとも重要と考えているか
- □□ ・これまでの研究成果をもとに，疑問点，未解決点を着想としたか
- □□ （3）「何を明らかにするのか」は研究目的を再度伝えるつもりで書いたか
- □□ ・研究内容ごとに具体的かつ簡潔に書いたか
- □□ ・箇条書きにするのも有効だと知っているか
- □□ （4）「学術的特色・独創性など」は重要と考えているか
- □□ ・さらりとした表現で，しかし自信をもって研究をアピールしたか
- □□ ・発展性や臨床応用の可能性を具体的に述べたか
- □□ 項目別，箇条書き，強調文字を用いたか
- □□ 有効な接続詞を用いて，引き立たせたか（付録2 ▶ **159頁**）
- □□ 余白を作っていないか
- □□ 図表を入れたか
- □□ 文献を用いたか
- □□ 脚注をつけたか（必ずしも必要ではない）
- □□ ゆとりの余白を忘れていないか

「研究計画・方法」の書き方（第3章D ▶ **096頁**）

- □□ 専門外でもわかるように，平易に書いたか
- □□ 「概要」が大切だと認識しているか
- □□ 「概要」で，審査委員に研究内容を再度，理解してもらえるよう書いたか
- □□ ・まず，「研究目的」あるいは研究成果を1〜2行で書いたか
- □□ ・次いで，「何をするか」の内容を箇条書きなどで書いたか
- □□ ・最後に「研究計画・方法」を，具体的に書いたか
- □□ 「概要」の点線を動かしていないか

- ☐☐ 「本文」では，冒頭に，研究概要を簡潔に書いて，理解度を高めたか
- ☐☐ ・内容が多い時は，項目別に箇条書きにしたか
- ☐☐ ・項目別に小見出しをつけ，その最初に「要旨」を1〜2行で書いたか
- ☐☐ 「方法」は，マニアックに書いていないか
- ☐☐ ・複雑な方法は，図表または写真を用いたか

「図表」の作り方（第4章 ➡ 145頁）
- ☐☐ 図表は審査時に白黒コピーなので，鮮明な文字と線を用いたか
- ☐☐ オリジナルなものを用いたか
- ☐☐ シンプルな図表，写真を用いたか
- ☐☐ タイトルと説明文を簡潔につけたか
- ☐☐ 本文にできた余白の彩りとして用いたか

「準備状況等」の書き方（第3章E ➡ 114頁）
- ☐☐ 準備状況は，すでに研究をしていることがわかるよう書いたか
- ☐☐ 設備・資料などが整っていることを述べたか
- ☐☐ テクニックや知識が備わっていることを述べたか
- ☐☐ 実現性が高いことを述べたか
- ☐☐ 実行できる能力と研究チームであることを述べたか
- ☐☐ 余白を作っていないか

「研究業績」の書き方（第3章F ➡ 118頁）
- ☐☐ 審査において重要な項目だと考えているか
- ☐☐ 日頃から研究業績を高めることに努め，「研究サイクル」を認識しているか
- ☐☐ 共著者に名前を連ねられるように日頃から努めているか
- ☐☐ 業績の少ない人は少しでも見栄えよく書いたか

「研究経費の妥当性・必要性」の書き方（第3章I ➡ 131頁）
- ☐☐ 本研究計画に照らして書いたか
- ☐☐ 設備備品，旅費などの使途を具体的に書いたか
- ☐☐ 箇条書きにして明瞭にしたか
- ☐☐ 余白を作っていないか

[3] 上手な文章を作成するために（付録1 ➡ 158頁），（付録2 ➡ 159頁），（第4章 ➡ 140頁）
- ☐☐ 平易な表現になっているか
- ☐☐ 文章の書き出しは，短文になっているか（つかみの一文）
- ☐☐ 節の最初に，結論または要点を書いているか（パラグラフ・ライティング）
- ☐☐ 科学論文や申請書において有用な「つなぎ」を用いているか
    - ・このことに着目し……
    - ・これらの結果から……と推察し，
    - ・これまでの研究成果を踏まえて……
    - ・そこで本研究では……
- ☐☐ 文の組み立てとして，かかる語（修飾語）と受ける語は近づけているか
- ☐☐ 長いパーツを前にもってきているか
- ☐☐ 短いパーツが長いパーツの前に来たら，読点をつけているか
- ☐☐ 強調したいこと，指示語を文の前にもってきたか
- ☐☐ 同じ語尾を続けていないか

- □□ 「行う」「施行する」などは「する」にしているか
- □□ 「の」を3回以上続けていないか
- □□ 「～など」の正しい使い方をしているか
- □□ 漢字と仮名の使い分けは正しいか
- □□ 専門用語は，同じ言葉を統一して用いているか
- □□ 漢字をできる限り減らしているか

[4] 申請書を提出するときに

「申請書の見栄えをよくする」ために（第4章 ➡ 140頁）

- □□ 第一印象がよくなっているか
- □□ ・文字をつめすぎていないか
- □□ ・項目立てし，小見出しをつけているか
- □□ ・強調文字（アンダーライン，太文字など）を有効に用いているか
- □□ ・左右上下の端は，余裕の余白を設けているか
- □□ ・図表を入れたか
- □□ ・箇条書きにしたか
- □□ ・段落をつけたか（10行以内に）
- □□ ・行間をつめていないか
- □□ 読みやすい文章になっているか
- □□ ・フォントの大きさ（最低11 pt）に注意したか
- □□ ・短篇小説のように，「流れのある文章」で書かれているか
- □□ 論理的に書かれているか
- □□ ・「起承転結」あるいは「三段論法」「パラグラフ・ライティング」の手法を用いているか
- □□ 平易な文章になっているか
- □□ ・一文は40文字以内を目安としているか
- □□ ・一文は単文を原則としているか
- □□ ・漢字は30%（気持ち的には20%）以内になっているか
- □□ ・専門用語は少なくなっているか
- □□ ・英語，略語も少なくなっているか
- □□ 誤字脱字はないか
- □□ 重複する表現はないか

「熱意こそ採択への道」である 重要

- □□ スタッフで申請書をブラッシュアップする話し合いを行ったか
- □□ 上司，同僚に何度も手直ししてもらったか
- □□ 審査委員になったつもりで自己採点したか
- □□ 何度も推敲したか
- □□ 翌朝，声に出して読み直したか

[5] 採用結果をもらったら

- □□ 審査結果を次年度に活用する
- □□ ルールに則って科研費を使用する
- □□ 使える経費，使えない経費を熟知する
- □□ 不明な点は事前にホームページで調べるか，大学などの事務に尋ねる
- □□ 研究者倫理のもとに用いる
- □□ 基金化を理解して使用する

ks
研究の楽しさ，美しさ

第 **1** 章

第1章 研究の楽しさ，美しさ

> **Point**
>
> 1) 科研費が採択される3つの要素は「アイデア・業績・見栄え」（図1-1）
>   - 3要素のなかで重要なのは「アイデア」と「業績」，つまり「研究」である．
>   - それら2つに次いで，「申請書の見栄え」である．
>   - 審査委員32名への「審査で，どの項目を重視するか？」のアンケートの結果．
>   - 最も重視するのが「研究業績」，次いで「研究目的（着想）」，「研究目的（概要）」，「研究目的（特色など）」，「見栄え」との意見（表1-1）．
>   - このアンケート結果からも，「アイデア，業績，見栄え」の3要素が重要．
>   - 申請書のすべての項目に，3要素のいずれかが関わっている（表1-2）．
>   - なかでも，すべて◎印（重要）なのは，「研究目的（着想）」である．
>   - 本書では，これら3要素をクリアする観点から執筆している．
>   - 第1章では「アイデア，業績」からみた「研究の楽しさ，美しさ」を説明し，第3，4章では「見栄え」を中心とした「申請書の書き方」を説明している．
>   - なお，第2章では平成30年度から改定される制度を詳述している．
>
> 2) 「研究の楽しさ，美しさ」を知っていただきたい
>   - 私が，本書で皆さんに最もお話したいのはこの第1章である．
>   - 「研究力」の向上により，わが国のさらなる発展に寄与していただきたい．
>
> 3) なぜわが国の研究は停滞しているのか？（表1-3）
>   ① わが国の論文は，各国に比べ質量ともに低下（図1-2，3）
>   - わが国の臨床医学における論文数の伸び率は危機感を抱く水準である．
>   ② 海外への留学生，大学の若手教員の人数も伸び悩み（図1-4，5）
>   - 日本から海外への留学者数はこの10年で減少の一途をたどっている．
>   - 35歳以下の若手教員は比率，人数ともに減っている．
>   ③ 研究時間と研究費の確保にもっと支援を（図1-6）
>   - 「研究費や研究時間の減少」を研究ができない理由にしてほしくないが，政府や大学はこれらの確保に努めるべきである．
>   ④ 研究の楽しさ，美しさ
>   - 「研究力」は，大学や研究機関にとっては「底力」を示すもの，個人にとっては「深みのある人間性」を醸し出すものである．

4) すぐれた研究をするための 12 の条件 (図 1-7)

① 志と目標 (図 1-8, 9, 10, 11)
- 「なぜ研究するのか」を心に抱き，高い志と目標をもつ．

② 指導者 (表 1-4, 図 1-12)
- 「手（先端技術），頭（アイデア），心（人間性）」が備わっているのがよき研究者，とりわけ指導者の 3 条件である．
- 研究により，学位取得のみならず，他者への感謝や思いやり，忍耐力，チームワークなど人間性を豊かにするよう指導する．

③ 余裕（経済的）(図 1-13)
- あなたが先輩からサポートしてもらったように，獲得した助成金を後輩の育成のために使う「研究サイクル」を大切にする．

④ 余裕（時間）
- 参加する学会や研究会は厳選し，研究に費やす時間を確保する．

⑤ 家庭 (図 1-14)
- あなたの研究に対する思いを家族に話し，協力を得る．

⑥ 継続性
- 研究成果を早急に求めないことが，研究者と指導者に大切である．

⑦ 忍耐 (図 1-15)
- 忍耐と努力があってこそ，輝かしい研究成果に結びつく．

⑧ 共同研究，とくに異分野との交流 (図 1-16)
- 新しい発想は，異分野との共同研究から生まれることが多い．最近の研究は，先端化，細分化しているので重要になっている．

⑨ 感動 (図 1-17)
- 「なぜ」「どうして」といった子どものような好奇心，わくわく感をもつこと．このことが，研究が達成されたときの大きな感動と研究の継続に結びつく．

⑩ 自由と創造
- 周到な研究計画には「基礎知識と自由な発想」の 2 つが必須である．
- これら 2 つに基づく「仮説」のおもしろさで研究の深みや発展性がほぼ決まる．

⑪ 気力と体力
- 何を成し遂げるにも気力と体力が肝要である．

⑫ 運と努力 (表 1-5)
- 研究には，予期した結果が出る研究と，予期せぬ結果が出る研究の 2 つがある．後者の研究には「運」が必要．「運」を引き寄せるには日頃の知的トレーニングが大切である．

5) なぜ申請書を書くのか？ (図 1-18)
- 「研究サイクル」を意識し，あなたが先輩からしてもらったように，獲得した研究助成金を後輩の研究者のために使うつもりで申請書を書くことが大切である．

1 科研費が採択される3つの要素「アイデア・業績・見栄え」

- 私は数年前，これまで審査委員をされた32名の方々に，「申請書の審査においてどの項目を重視しているか？」と尋ねたことがあります．対象者は，私の大学ならびに同じ専門領域（泌尿器科）の方々です．

- その結果が表1-1です．複数回答ですが，最も重視しているのが「研究業績」，次いで「研究目的（着想への経緯など）」，「研究目的（概要）」，「研究目的（特色など）」が続き，さらに「研究課題」，「申請書の見栄え」が重要だとの意見でした．

- 私もほぼ同じ意見です．これらのアンケート結果をまとめると，科研費が採択されるには，「アイデア」「業績」「見栄え」の3要素が重要だと言えます（図1-1）．

- 申請書の項目別に，これら3要素がどれほどかかわっているか，独断と偏見をもって示します（表1-2）．すべての項目に，3要素のいずれかは含まれていますが，すべて◎印なのは，「研究目的（着想）」です．

- 第3章では，これら3要素を意識して，「申請書の書き方」を説明しています．

- <u>3要素のなかで重要なのは「アイデア」と「業績」．それら2つの要素の次に「見栄え」であることを再確認しながら拙書を用いてください．</u>

表1-1 申請書の審査において重視される項目とその人数
審査委員32名へのアンケート，複数回答

	項目	人数		項目	人数
1	研究課題	11	9	研究計画の準備状況	8
2	研究組織（研究分担者および連携研究者）	4	10	研究業績	27
3	研究目的（その1，概要）	20	11	これまでに受けた研究費とその成果	5
4	研究目的（その2，研究の学術的背景，研究動向，着想への経緯など）	22	12	研究費の妥当性・必要性	2
5	研究目的（その3，研究期間内に何をどこまで明らかにするのか）	10	13	申請書の見栄え	11
6	研究目的（その4，学術的な特色・創造性，予想される結果と意義）	17	14	社会に役立つ研究か否か	5
7	研究計画・方法（その1，具体的な工夫，アイデア）	11	15	最先端の研究か否か	4
8	研究計画・方法（その2，研究体制）	2	16	将来性のある成果が達成される研究か否か	7

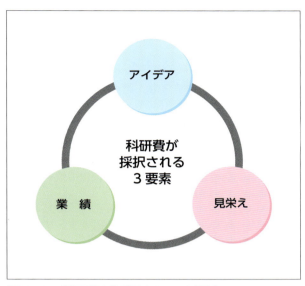

図 1-1 科研費が採択される 3 要素

表 1-2 申請書の項目別にみた「科研費が採択される 3 要素」

	アイデア	業績	見栄え	本書の該当頁
・研究課題	○	—	—	第3章 A (038 頁)
・研究目的（概要）	◎	◎	△	第3章 B (044 頁)
・研究目的（学術的背景，国内外の動向）	○	◎	◎	第3章 C (063 頁)
・研究目的（着想までの経緯）	◎	◎	◎	第3章 C (063 頁)
・研究目的（何をどこまでやるか）	◎	○	○	第3章 C (063 頁)
・研究目的（独創性，意義など）	◎	◎	○	第3章 C (063 頁)
・研究計画（概要）	◎	○	○	第3章 D (096 頁)
・研究計画・方法	◎	◎	○	第3章 D (096 頁)
・準備状況	○	◎	○	第3章 E (114 頁)
・研究業績	—	◎	△	第3章 F (118 頁)
・これまでの研究費	△	◎	△	第3章 G (126 頁)
・人権保護（内容は重要）	—	—	△	第3章 H (129 頁)
・研究経費	○	—	△	第3章 I (131 頁) 第3章 J (133 頁)
・エフォート	—	—	—	第3章 K (137 頁)

◎最重要　○重要　△大切　—評価なし．

2　「研究の楽しさ，美しさ」を知っていただきたい

- 私が，本書で皆さんに力を込めてお話ししたいのは，この点です．
- 「科研費の書き方のコツ」は第3章，第4章で，私の経験や知識のすべてを紙面の許すかぎり書いています．しかし，それらはhow-toとも言える内容で，私の意図するすべてではありません．
- 私が，皆さんに最も訴えたいことは「研究の楽しさ，美しさ」を知ってもらうことです．その結果として，社会に役立つ研究，後世に残る研究，世界に発信する研究を達成されることを心より願っています．
- 次に触れますが，わが国の「研究力」は各国の進歩に比べ著しく停滞しています．このことを皆さんに知っていただき，研究力を通じてわが国のさらなる発展と国際社会に寄与していただきたいと思います．

キラリと輝く申請書　1　先生，どうして科研費の採択が多いのですか？

このような質問を受けたとき，「恐れ入ります．とんでもないことでございます」と，私は答えます．しかし親しい人なら決まって「その秘訣を教えてくださいよ」と畳み掛けてこられます．

本書の読者は親しい人ととらえ，僭越ながら私の愚見を話します．

科研費採択のコツはありません．本書のタイトルである3要素（アイデア・業績・見栄え）がすべてです．見栄えは，短期間で会得できますが，研究業績はどうすればよいでしょう．その方法は実に多いですが，最も重要なのは，①研究者個人としては，言うまでもなく毎日地道に研究することで，②研究室（組織）としては研究者を増やすことです．

「研究業績＝研究の質×研究者の数」の法則

があるように思い，私は努めてきました．

研究の質は，本書第1章に書きましたが，ここでは，研究者の数を増やす方策を2つ話します．

1) 研究室の先端的な成果を発信すること．そのことにより，研究室のエネルギーを若い人に示すことです．若者は，目先のことを見抜く能力があり，活気ある研究室に集まります．しかも活気ある研究室に集まる若者にはモチベーションがあり優秀です．

2) 臨床医で言えることは，大学から市中病院などに赴任した直後の人を活用することです．その人たちは，研究能力がピークであるはずです．そこで，大学を辞めたあとにも研究を続ける環境をつくることです．従来のような実験はできないでしょうが，試験管を振るだけが研究ではありません．これまでの経験を活かし，研究のテクニックやアイデアを後輩に伝え指導することはできます．道半ばであっただろう研究の夢を後輩に託すのです．

このことは，医療に限らず薬学や農学などでも同じです．大学を辞め会社や薬剤師勤務になったときが研究能力のトップ状態で，この時点で研究を止めるのは血税の無駄遣いです．大学を辞めたあとにも研究をするのは，けっして研究費を獲得するためだけではなく，若手を育成し継続により研究力を高めるためです（第1章 ◯017頁）．

研究室や大学としては，継続して研究できる環境を作ることが，指導者として大切だと思います．

3　なぜわが国の研究は停滞しているのか？

1）わが国の論文は，各国に比べ質量ともに低下している

- まず初めに，この衝撃的なデータを見てください（図 1-2）．これは，この 15 年間における各国の論文数の推移を示したものです．これはエルゼビアによるデータですが，トムソン・ロイターの調査も同じような傾向です．

- 一方，他の先進国や BRICS，特に中国の伸びには目を見張るものがあります．これは国力や経済力の勢いと比例しているかのようです．

- わが国の論文がなぜ停滞しているのか？　その原因を分析し，対策を早急に講じなければなりません．研究力の低下が国力にまで影響しているとなれば，学術界だけでなく政界や行政，社会を含めた日本全体で考えるべき喫緊の課題です．

- <u>私が本書を書く目的の 1 つは，この厳しいデータを踏まえ，わが国の「研究力」を高める方策を，読者の皆さんと一緒に考えたいことです．</u>

- なぜ日本だけが，論文数が伸び悩んでいるのでしょうか？　それを考えるうえで，もう少しデータを示します．

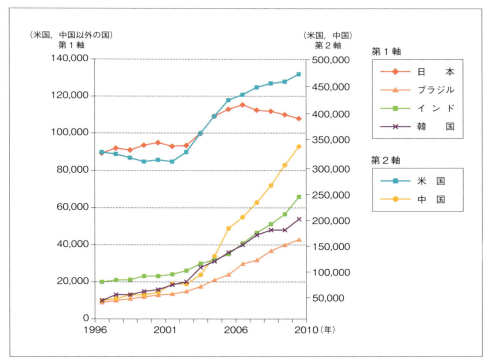

図 1-2　各国の論文数の推移
米国および中国については第 2 軸．
〔Elsevier 社，Scopus より〕

- 図 1-2 はすべての学術領域の論文でしたが，私が所属する臨床医学の領域におけるこの 10 年間の伸び率を見ると，誰もが危機感を抱くと思います（図 1-3-a）．論文数が増えていない原因の 1 つに，インパクトファクター（IF）が高い top 10% の雑誌に投稿しているからだとの意見があります．しかし，IF 上位 10% の雑誌でも伸び率は各国のなかで最も低いのです（図 1-3-b）．

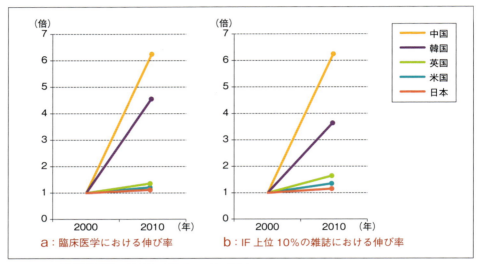

a：臨床医学における伸び率　　b：IF 上位 10% の雑誌における伸び率

図 1-3　臨床医学における論文の伸び率
〔Elsevier 社，Scopus より〕

2）海外への留学生，大学の若手教員の人数も伸び悩んでいる

- 図 1-4 は，日本から海外への留学者数の推移です．論文と同じように，2005 年をピークに減少の一途をたどっています．中国やインドの急速な伸びに比べ，わが国の若者は内向志向なのでしょうか．政府はその対策に乗り出しましたが，日本の将来を語るうえで看過することのできない問題です．

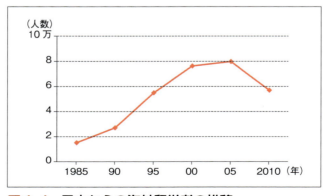

図 1-4　日本からの海外留学者の推移
〔文部科学省，2014 年より〕

- 図1-5は，わが国の，「年齢別にみた大学の教員数のこの30年間の推移」です．35歳以下の教員は，比率だけでなく，人数そのものが年々減っています．このことは海外留学者が減少している原因にも通じるもので，わが国の大学の将来を考えるうえにおいて，重要な資料です．

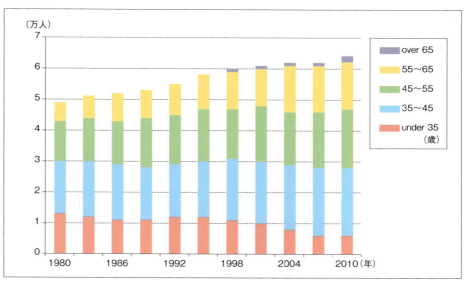

図1-5　年齢別にみた大学教員数の推移
〔Fuyuno, Nature, 2012 より〕

3）研究時間と研究費の確保にもっと支援を

- わが国の「研究力」が低下した理由の1つに，研究費と研究時間が減ったことが指摘されます．私は，研究者自らがそれらのことを，研究ができない言い訳にしてほしくない，と考えています．しかし，政府や大学は，可及的すみやかに研究費と研究時間の改善に努めるべきだと強く思います．

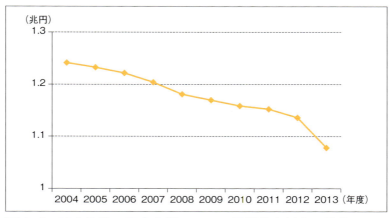

図1-6　法人化後の国立大学における運営費交付金の推移
〔文部科学省，2014年より〕

- 国立大学では，約13年前に法人化されて以降，運営費交付金は漸減し，この数年間は下げ止まったとはいえ，当初に比べ10％余りも減っています（図1-6）．公立大学もほぼ同様です．国公立大学が法人化された時期と論文が減少し始めた時期とがほぼ一致していることは注目すべき点です．

- わが国の「研究力」が低下した理由は，そのほかにも多くのことが考えられます．「なぜ，わが国の研究は停滞しているのか」を，私なりに表1-3にまとめました．社会も研究者個人も「研究の大切さ」を見つめ直す，絶好の時期だと思います．

表1-3　なぜわが国の研究は停滞しているのか？（医師の場合）

1) 社会的要因
 - 大学の法人化 ➡ 予算削減，雑務の増加
 - 病院収益や医療事故 ➡「臨床重視」の風潮
 - 新臨床研修制度 ➡「専門性より総合診断」

2) 研究者の要因
 - ハングリー精神の欠如
 - 博士号よりも専門医

4) 研究の楽しさ，美しさ

- このように研究における財政基盤が弱く，安易な方向に流されやすい時代だからこそ，「研究力」は重要です．大学や研究機関にとっては他の施設にはない「底力」を示すもので，個人にとっては努力と忍耐から養われる「深みのある人間性」を醸し出すものだと思います．

- これらのことを踏まえ，私たちは何をすべきでしょうか？
 その答えとして，「研究の楽しさ，美しさ」をあげました．最近のスポーツ選手は大きな試合の前にも，昔のように「頑張ります」ではなく，「楽しみます」と言い，素晴らしい成績をあげています．

- 私たち指導者は，若い人たちの「楽しむ心」をくみとり，指導することが必要だと実感しています．人生の先輩として，後輩からあこがれられるような「美しさ」を背中で示す指導者になりたいものです．

- 一方，若い人たちに話したいのは，「楽しさ，美しさ」は，努力や苦労の上にあることです．このようなことは，皆さんはこれまでの人生において，例えば受験や学位取得などで経験されたことでしょうが，あえて，わが国とあなたの「研究力アップ」を願って言わせてもらいました．

4　すぐれた研究をするための12の条件

- 私が考える,「すぐれた研究をするための12の条件」を示します（図1-7）.

図1-7　すぐれた研究をするための12の条件

- 次に,これら12の条件を1つずつ説明します.

1）志と目標

- 「あなたはなぜ,研究をするのですか？」
その答えとして,次のようなことが考えられます（図1-8）.崇高な志から目先のことまで,人によって研究をする目的は異なります.

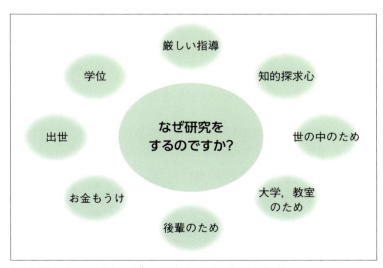

図1-8　あなたはなぜ,研究をするのですか？

- 「若い人たちがすぐれた研究をライフワークのように続けてほしい」．私は，そのような思いから，研究を始める若い人と必ず，「何を研究するのか？」ではなく，「なぜ研究するのか？」を十分に話し合うようにしています．研究の心構えをじっくりもたせるためです．
- 研究の目的を，「すぐれた研究をする」と「研究を続ける」の2つの観点から分類すると，相関関係があると，私は考えます（図1-9）．

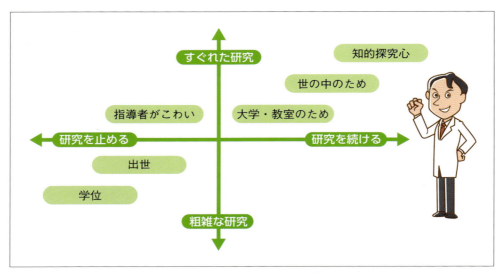

図1-9 「すぐれた研究」と「研究を続ける」こととの相関関係

- そこで，若い人が研究を始めるときには，できる限り大きな目標をもつように誘導しています．目標以上の結果が出ることは少ないので，最初から目標は高くします．もちろん，ハードルが高くなりすぎて，途中で挫折するのでは逆効果です．あとにも触れますが，研究を計画する段階が最も大切です．
- 私ごとですが，教室内に「凌雲之志」と揮毫して掲げています（図1-10）．人間は誰でも，ある程度の成果が出るとサボってしまうものです．そのようなときに，この揮毫を見て新たな気持ちになるようにしてきました．

図1-10 研究を始めるとき，大志を抱く

- 一方，若い人たちは多様です．大きな目標や志をもてない人，無理矢理水飲み場につれて行っても水を飲まないように自発的に研究をしない人，研究に不向きな人，研究グループの歯車になることで満足している人，などです．
- 長谷川英祐氏の著書「働かないアリに意義がある」（メディアファクトリー刊）は，研究者も多様であり，画一的な指導はよくないことを教えてくれるものです（図1-11）．研究者の特性や性格を活かすことが，組織を大きくするのだと思います．

図1-11　人によって志，目標は異なる

2）指導者

- 研究は人生に似ています．
- 私は，これまでに多くのよき共同研究者や指導者に恵まれてきました．そのなかで感じたことは，よき研究者，とりわけ指導者には3つの条件があることです（表1-4）．
- その1つは，先端技術，体に例えるなら「手」をもった人です．社会では一般的に，とかくこのような研究者を求めがちですが，私は必ずしも重きをおきません．2つ目は，アイデアを生み出す能力，すなわち「頭」をもった人です．3つ目が，人間性の豊かな人，「心」をもった人です．私はこれまで，よき研究仲間に恵まれてある程度の研究成果をあげられたことに深く感謝しています．

表1-4　よき指導者には3つの条件がある

社会ではとかく先端技術，すなわち「手」をもつ指導者を求めがち．研究も「心」，人間性が最も大切である．

- 「手，頭，心」の考え方は，次のように言い換えることができます．研究をする目的は，すぐれた成果を生み，学位を取得するだけではありません．研究で培った企画力や洞察力により，医師においては診療の力を高めます．さらに大切なことは，研究を通して，他者への感謝の心や，成果が出なかったときに忍耐を養います．研究は1人ではできません．人への思いやりや，チームワークなどを通じて人間性を豊かにする場であると思っています（図1-12）．

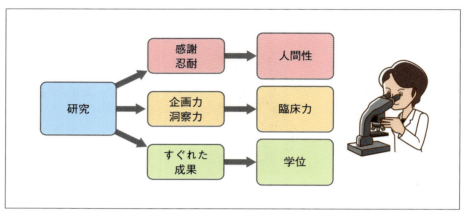

図1-12　研究は，すぐれた成果だけを求めるのではない

キラリと輝く申請書 2　私のよき共同研究者

　私は，医師になって40年余り，本当に多くのよき仲間に恵まれたと感謝しています．

　研究について言えば，尿路結石の有機成分としてオステオポンチン（OPN）などの物質を発見した前職の近畿大学時代を懐かしく思い出します．

　「尿路結石を溶かしたい」との夢を抱いて研究をしていました．しかし，当時の研究の趨勢であった「無機成分」からのアプローチに限界を感じ，「有機成分」にトライしました．当時，有機成分に関する文献はなく，試行錯誤の日々でした．その理由は，OPNを発見したあとにわかったことですが，OPNは尿路結石に数％しか含まれておらず，OPNは無機成分（カルシウム）と強く結合しているので電気泳動などの手法では抽出できなかったためでした．

　このように悪戦苦闘していたとき，多くの方々に助けていただきました．当時は，遺伝子レベルで物質をクローニングする新しい技術が用いられたころで，私は，クローニング技術を習得された生化学のS先生をたずねました．

　S先生は，たまたま高校の先輩で，折に触れ，「郡先生，これから手術やろ，あとはやっとくから」などと実に親切に協力してくださいました．ラッキーなことに1回の実験でOPNなどを発見できました．「郡先生，ついてるな，何回やってもできないのに，さすがやわ」と言われたものの，私が実験に手を染めたのは全体の半分ぐらい．すべてはS先生と，コンピュータ解析をしていただいた上司のS教授，そして若いY先生のご尽力によるものです．

　OPNの研究に当たっては，このほかにも，「もうわざわざ来なくてもよい．こちらでOPN抗体を作っておく」と言っていただいた関東にあるM研究所のKさん，*OPN*遺伝子の腎臓での発現機序の解明にご指導いただいた現在N大学のN先生，OPNタンパク発現は故Y先生，そして恩師の故K教授と結石の研究グループらのよき仲間のお陰でした．

　<u>私が，研究者には「手と頭と心」の3要素が必要だと思ったのはこの研究がきっかけです．この感謝を若い人たちに返したいとの思いで指導しています．</u>

- 私たち指導者には，「未来を担う研究者を育てる」使命があります．それに当たって，私たちは何をすべきでしょうか．4つのポイントがあると思います．

    a) 多様な人材からなる組織をつくること．
    例えば，専門領域や出身大学が異なる人材からなる組織では，お互いが協力し刺激しあい，柔軟な発想が生まれるきっかけになります．

    b) できる限り大きな夢や目標をもたせること．
    研究にのめり込むと，つい専門的になりがちです．そのようなとき，最初に掲げた目標が低いと研究が続きません．

    c) 創造力を発揮させる自由な研究環境をつくること．
    これについては10)「自由と創造」を参照してください ➡ 019頁．

    d) 研究を通して「豊かな人間性を育む」こと．
    研究にはチームワークが必要です．研究に熱心な人は，他人への心配りややさしさがあります．例えば医師ならば患者さんに親切に接し，臨床でも洞察力を発揮します．

3) 余裕（経済的）

- 研究には余裕が必要です．その1つが研究費です．

- あなたの最初の研究成果は，先輩の研究費で成し得たはずです．次は，あなたが後輩のために研究費を獲得せねばなりません．私は，それを「研究サイクル」と名づけ

キラリと輝く申請書 3

「私の恩人；2人のK先生」
「人に支えられ，人を育て，人に尽くす」

共同研究者と同じように，私が今ここにあるのは，多くの恩人のお陰です．

命の恩人は，出雲市のK医師．私が学生時代，出雲市近郊の山中で，スズメバチの群れに刺されて失神したときのことです．ハチ毒のショックによる死因は，末梢血管が拡張し，心臓に血液が返らなくなることだそうです．治療が遅れると死亡する頻度は高まります．一緒に旅行していた友人らは医学生とは言え，しょせんは学生．周章狼狽するばかり．そんなとき，運よく通りかかったK先生が池の水を四肢にかけ，血管を収縮させることで救命してくださいました．薬が届くまでの数十分のとっさの機転です．50年間，先生には深い感謝の気持ちでいます．

学術の恩人は多いなかで，東京大学のK先生．10数年前の学会場で，「郡さん，日本医師会医学賞に応募しませんか．私は日本医学会の専門委員なので，先生の仕事を審査会で紹介します」と思いもかけずお声をかけていただきました．K先生は，同じ泌尿器科医ですが専門領域は違うので，それまではご挨拶をさせていただくくらいでした．自らの実力を顧みず提出しましたが，「自分のことより緊張して紹介しました」との，K先生の心のこもったプレゼンのおかげで，受賞の朗報をいただきました．実はその数年前，地元の中日文化賞を受賞したときも，当時K先生は泌尿器科学会の理事長であったので，新聞社から問い合わせがあったそうです．

これまでいただいた多くのご恩を社会にお返ししたいとの思いで，2年前の最終講義は「凌雲之志；人に支えられ，人を育て，人に尽くす」のタイトルで話しました．

ています．研究をしたら論文を書き，医学の進歩に貢献すると同時に，助成金の獲得につなげ，その助成金で若い人たちの研究を指導するのです．私は，この「研究サイクル」を若い人たちに強く話してきました（図 1-13）．この考え方は重要です．

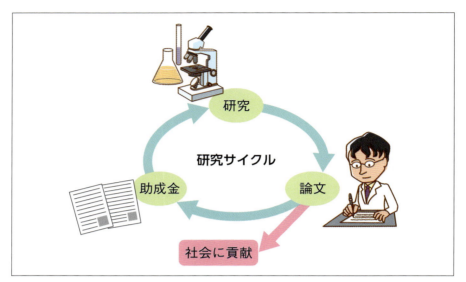

図 1-13　研究サイクル
このなかのいずれか 1 つが大きくなると，研究サイクルは次々に大きくなる．

- この考え方は，次項の「なぜ申請書を書くのか？」につながっています ➡ 021 頁．申請書を書いて獲得した研究費はあなたと後輩の研究に使うのです．では，申請書を書くあなたのメリットは何か？　その主たるものは，これまでの研究成果を見つめ直し，これからの研究を立案することで，この考え方をもつことではないかと思います．

4）余裕（時間）

- ほかの領域でも同様だと思いますが，国公立大学の医療系学部では特に，法人化後，教員が研究をする時間が少なくなっています．これはすでに文部科学省のデータでも示されていることです．そこで私が若い人たちに話すことは，参加する学会や研究会を厳選することです．最近同じような学会が多すぎます．発表される演題も似たものが多く，学会に参加する意義が少なくなっているように思います．学会発表に時間をとられすぎず，じっくり研究をしてください．

5）家庭

- 若い人たちが研究から遠ざかり，海外留学や大学教員職に人気がなくなっていることを，すでに話しました ➡ 008 頁．結婚前までは研究に熱中していた人たちのなかに，結婚後に研究をやめてしまう人もいます．

- 家庭と研究を両立させるためには，あなたの研究や留学への思いを家族と話し，あなたの人生の将来像を共有し，家族から協力を得ることです（図 1-14）．研究には，一定の時間と資金が必要なのです．

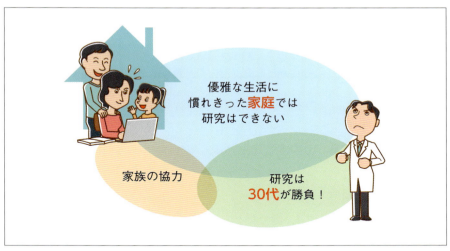

図 1-14　家族と，「研究の夢」を話しておこう

6）継続性

- 研究を続けるには，高い「志と目標」が大切です ➡ 011頁．もう1つ大切なことは，研究成果を早急に求めないことです．小さな目標ならすぐに達成されますが，研究成果に感動することはないでしょう．それでは「研究の楽しさ」を知ることはなく，そのあとの研究が続きません．

- 大きな目標を掲げ，一歩ずつ地道に研究成果が出れば，研究を楽しんで継続できるものです．しかし功名心にはやり結果をあせると，成果は出ないものです．そのようなときに，研究の真髄を見失ってしまうことが多いように思います．

- 継続するに当たっては，指導者は，研究者の日頃の仕事ぶりをよく見きわめることに努め，早急な成果を求めない寛容さが大切だと考えます．

7）忍耐

- 研究には忍耐が必要です．人生と同じです．いつもスムーズに進むとは限りません．「あと一歩頑張れば素晴らしい成果が出たのに」，「もう少しがまんすればよい研究環境が拓けたのに」，といったケースは多いものです．

- そんなとき，私たちが学ぶべき人は山中伸弥先生（ノーベル生理学・医学賞受賞者）です．山中先生の語録は，先生の豊かな人間性と経験から含蓄あるものが多いです．先生は，研究のみならず人生においても必ずしも順風満帆ではなく，忍耐と努力の上に輝かしい研究成果をあげられています（図 1-15）．

図 1-15　山中伸弥先生語録　〔山中伸弥先生の講演などから筆者が抜粋・作成〕

8）共同研究

- 新しい発想は，異分野との共同研究から生まれることが多いものです．最近の医学など自然科学の研究は，1人や少人数のグループではできないほどに，先端化・細分化しています．新しい発想は異分野の研究から生まれることが多いものです．

- わが国では，各国に比べ，国際共著論文が少ないことが指摘されています．これが研究レベルの質と量の低下につながっている一因だと思います（図 1-16）．

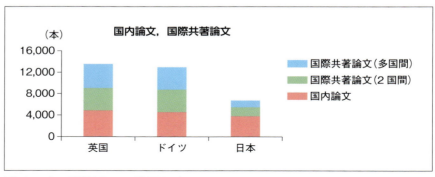

図 1-16　異分野との共同研究のススメ
〔文部科学省資料，2012 より〕

9）感動

- 研究の楽しさは，計画どおりに研究が達成されたとき，「子供のような感動や喜び」を味わうことで生まれます．それには「なぜ・どうして・なに？」といった素朴さや純粋さを失わないことです．

- 思いもよらない研究成果が出たときには，「素敵なパートナーに出会ったときめき」をもたらしてくれます．<u>若い人たちが好奇心やドキドキ感を一度味わうことがよき研究者への王道だと思います</u>（図 1-17）．

> 「?」が「!」に変わる それが科学

- この標語は，平成27年4月の科学技術週間において選ばれた優秀標語で，私が心打たれたものです．中学1年の女子生徒の作品で，わが国の科学の未来は明るいと感じました．

図 1-17 「?」が「!」に変わる それが科学

10）自由と創造

- 「自由と創造」は，私が卒業した高等学校の校風です．高校時代の3年間，「固定観念にとらわれるな」，「受験勉強は学校ではしない，自分で独創的に考えるのだ」などの校風のなかで過ごしました．時には，教員の手抜きだと思うこともありましたが，人生で最も多感な高校時代に染み付いた校風は，今でも私の一部になっています．

- 研究にはアイデア，独創性が最も重要です．それには「周到な研究計画」がすべてだと思います．研究計画によってオリジナリティある研究成果が生まれると言っても過言ではありません．

- 周到な研究計画には「基礎知識と自由な発想」の2つが必須だと思います．私が最も大切にしたいのは，それら2つに基づく「仮説」です．「仮説」のおもしろさで，研究の深みや発展性がほぼ決まります．仮説のない研究はオリジナリティがなく，単に追試にすぎない研究になりがちです．

- 仮説は，思いつきや空想から生まれるものではありません．研究分野における基礎知識に精通することから生まれるのです．しかし，基礎知識に頼りすぎないで，自由な発想で仮説を立ててください．

11）気力と体力

- 何を成し遂げるにも「気力と体力」が肝要です．ここではちょっと頭を休めていただいて，研究以外の観点から「気力と体力」の大切さを紹介します．

- 一昔前の人気番組「アメリカ横断ウルトラクイズ」のキャッチフレーズは，「知力，体力，時の運」だったかと思います．「知力と時の運」はわかりますが，延々と続くクイズを勝ち抜くには，やはり体力なのでしょう．あと1問で決まるあの切羽詰まった緊張感のときには，冷静な判断力と集中する気力が欠かせません．
- プロ野球の野村監督は，それまでの野球理論を次々に変えたことでも有名で，知将とよばれました．今でも書物を発刊し，数々の名言を残しています．
- そのなかの1つに，『野球選手として体力は当たり前．気力のないやつはプロの資格がない．問題は，いかにして野球を上手にするか考える「知力」だ』（出典；テレビ東京「カンブリア宮殿」）．厳しい言葉ですが，的を射ています．
- 私たち研究者は，「知力」を使う仕事です．野村監督の言葉を裏返せば，私たちは，知力があって当たり前，「気力，体力」で一流か否かが決まるのでしょう．

12) 運と努力

- 研究には2つのタイプがあると思います．
- 1つは，予期した結果がでる研究です．この種の研究は，よい指導者と周到な計画のもと，たゆまぬ「努力」をすれば必ず達成できるものです．したがって研究を始める前に，できる限り大きな目標を設定するのがよいでしょう．
- もう1つは，予期せぬ結果がでる研究です．いわゆる「セレンディピティ」とも言われるもので，研究の醍醐味です．この研究には「運」が必要です．「運」をつかむには鋭い観察力と洞察力，そして固定観念をもたない自由さが大切だと思います．
- これらは天性の才能のように思えますが，日頃の知的トレーニングで養われるものだと思います．いつもそのような姿勢でいると身につくものです．
- そのためにも，研究者自身の柔軟な発想だけでなく，指導者と研究室の自由な雰囲気づくりが大切です（表1-5）．人は環境に影響を受けやすいのです．

表1-5 研究の2つのタイプ

1) 予期した結果が出る研究
 ・努力
  ・よき指導者
  ・周到な研究計画
2) 予期せぬ結果が出る研究（セレンディピティ）
 ・運
  ・鋭い観察力・洞察力 ｝知的トレーニング
  ・固定観念をもたない自由さ
  ・研究室の自由な雰囲気

5　なぜ申請書を書くのか？

- 魅力ある申請書を書くには心構えが大切です．

- なぜ申請書を書くのか？　その答えには次のことが考えられます（図1-18）．
    - 指導者に言われたから
    - 大学のために（名誉と間接経費）
    - 自分の研究のために
    - 後輩の研究のために

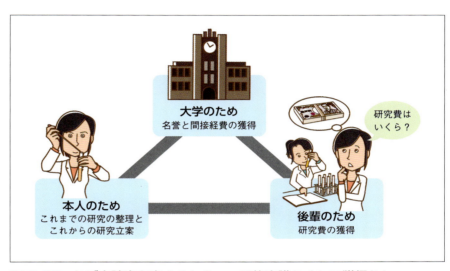

図1-18　なぜ申請書を書くのか？　〜目的意識なくして獲得なし〜

- 私は，研究には「研究サイクル」が重要であることを強調しました ➡ 016頁．すなわち，大半の人は，初めの研究は先輩や教室の研究費で行い，その成果が論文となり，業績として認められ，研究助成金の獲得につながったはずです．

- 獲得した研究助成金は，若い人ならば自分の研究のために使えばよいのですが，年配の研究者になると研究を指導している後輩のために使うのではないでしょうか．

- あなたが先輩にお世話になるのは，研究の指導だけではなく，研究費の支援もあるのです．その恩返しを後輩にするのだとの思いで，申請書を書いてください．

- では，あなた自身にとって申請書を書くメリットは何なのか？　それは，これまでの研究成果を見つめ直し，これからの研究計画を立てるよい機会になることだと，私は思っています ➡ 016頁．このような考えで申請書を書かなければ，日々の研究に没頭するだけで，研究の全体像を見失うことになりかねません．

- 一方，大学にとって科研費が採択されるメリットは，間接経費が増えることと，研究力が高まることによる名誉です．このことは，大学を運営する今の私の立場から思うことで，皆さんは自分のことと研究仲間のことを考えてください．

キラリと輝く申請書 4　研究するのに必要な費用は？

1つの論文（研究）を仕上げるにはどのくらいの研究費がかかるのでしょうか．

私は，教室を主宰していたときにはいつも，研究をしている人数とそれに伴う研究経費のことを考えていました．このことは，家族が増えたことで，家族のために喜んで仕事にはげむ両親に似ています．

指導者の資質は，「手，頭，心」だと話しましたが（表1-4），近年の指導者の要件として「財布？」があり，研究費集めが重要になっています．指導者としては，研究者を指導する本来の喜びではなく，チョッピリさびしいことですが，何ごとも米国化しているためでしょう．

必要な研究経費は条件によって異なります．その1つは研究のレベル，もう1つは先輩の研究の延長線か否かです．先輩の研究を発展させるときには，主に消耗品だけが必要になります．

このことは重要で，新たな研究を独自性をもってできるまでは，先輩の研究を学ぶのが現実的です．

このように考えると，1つの論文（研究）に必要な金額は100〜200万円だと思います．そんなにいるのかと思うでしょうが，投稿料，学会参加などを考えると，その費用は最低限です．

よく考えると，その費用は，若手研究，基盤研究(C)の上限500万円を数年間の研究期間で割った費用，1年間で100〜200万円に一致しています．科研費の経費上限はよく考えられています．

このことからも「研究サイクル」が大切で（図1-13），「後輩のためにも申請書を書く」との意識が必要だと思います．

キラリと輝く申請書 5　「研究サイクル」；正か負か，それが問題だ

研究力を高めるために考えたのが「研究サイクル」（図1-13）です．わかりやすいネーミングということもあり，教室内で定着しています．

本文でも，「研究サイクル」の大切さを述べましたが，少し違う観点から話をしたいと思います．

「研究サイクル」とは何か？　もう一度確認しておきます．「①研究費」により「②研究成果」ができ，「③論文（業績）」につながり，「①研究費」を獲得し，新たな「②研究成果」を生み出すサイクルです．

研究が順調に進んだときは「正の研究サイクル」ですが，「これら3つ」のいずれかが滞ったときには，「負」になります．科研費が獲得できなかった1年間は研究ができず，「負のサイクル」に陥ってしまいます．

「研究サイクルが正か負か」，その差は余りにも大きいのです．研究者は，このことをしっかり自覚すれば，指導者から「研究に励みなさい，論文を書いたか，申請書を仕上げたか」の話は出ないはずです．

しかし，科研費の採択率は30％．努力しても70％の研究者は1年間研究ができないことになります．そのような研究者へのアドバイスとして，科研費以外の研究費を獲得する，研究分担者になっておく，前年度までの研究機器を用いる，指導者の研究費を用いる，といったことしか浮かびませんが，研究室では，日頃から研究を助け合い，研究経費を共有しておくことをお勧めします．

私は大学での立場上，本学の研究力が低下しないように，科研費が採択されなかったが評価が高かった研究者には，若手研究あるいは基盤研究(C)の1年間に相当する研究費を学内審査のもとに授与しています．その「研究費」をもとに「正の研究サイクル」を維持していただきたいと願っています．

科研費の制度を知る

第2章

第2章

科研費の制度を知る

・Point・

1) 科研費の制度が，平成30年度(平成29年9月申請時)から大幅に改定
   - 本書初版では，平成28年4月に公表された，改定される原案を掲載した．
   - その後，パブリックコメントなどを経て，多少変更された．
   - 主たる改定点は次の2つ．
     - 申請時の「審査区分」と「審査方式」の抜本的な改革
     - 「若手研究」と「挑戦的萌芽研究」の大幅な見直し
   - 設定される研究種目の体系イメージを示す(図2-1)．
   - 若手研究者には，「若手研究」と「研究活動スタート支援」の2つ．
   - 「応募書類の変更点」は付録6(➡164頁)に追加した．
   - 必ず，平成29年9月の申請時には「公募要領」の再確認をすること．

2) 申請時の「審査区分」と「審査方式」の抜本的な改革(図2-2)
   - 平成30年度からは，「小区分・中区分・大区分」の新しい審査区分(表2-1)．
   - これまでの「系・分野・分科・細目表」は廃止される．
   ① 「基盤研究(B，C)」，「若手研究」の審査区分(小区分)および審査方式について
     - 「基盤研究(B，C)」と「若手研究」では小区分(306区分)で公募．
     - 応募者が小区分の内容を理解しやすいよう，約10個の「内容の例」が付記．
     - 「2段階書面審査」により採否を決める．
     - 1段階目は，審査委員全員がすべての応募研究課題を審査．
     - 採否がボーダーラインの研究課題のみに2段階目の審査．
   ② 「基盤研究(A)」，「挑戦的萌芽研究」の審査区分(中区分)および審査方式について
     - 「基盤研究(A)」と「挑戦的研究」では中区分(65区分)で公募．
     - 「総合審査」で実施．
     - ただし応募件数が多い場合には，概要版によるプレスクリーニング審査．
     - 書面審査の後に，同じ審査委員の合議審査により幅広い視点から審査．
     - 特定分野と関連分野の両面から，創造性，独自性，実行可能性を多角的に判断．
   ③ 「基盤研究(S)」の審査区分(大区分)および審査方式について
     - 「基盤研究(S)」では大区分(11区分)で公募．
     - 相対評価を基本としつつ，総合的な審査．

- 幅広い視点から多面的に合議審査をし，すぐれた研究課題を見いだす．
④ 大規模研究種目の審査区分および審査方式について
  - 審査区分は，「分科・細目」よりも大括りの「系」の単位．
  - 審査方式は，同一の審査委員が書面審査・合議審査（ヒアリングを含む）．
  - 専門分野に近い研究者が作成する審査意見書を活用．

3) 「若手研究」と「挑戦的萌芽研究」の大幅な見直し（図 2-1）
  ① 「若手研究」の見直し
   - 今回の改定では，「若手研究（A）」がなくなる．
   - 「若手研究（A）」を獲得できる研究者なら，「基盤研究（B）」にトライできるとの考えから，時限的な経過措置として，若手研究者を対象とした採択調整が導入される．
   - 「若手研究」の応募要件は博士号取得後 8 年未満の者となる．
   - 博士号未取得者は応募要件を満たさない．
   - 39 歳以下の博士号未取得者については，当面は応募を認める経過措置がとられる．
   - 若手研究者の研究支援が重視されている
   - その参考として「科研費若手支援プラン（CIO）」が示された（図 2-3）
  ② 「挑戦的研究（開拓，萌芽）」の創設
   - 論文などの実績を求めず，斬新なアイデアやチャレンジ性を評価する．
   - これまでの「挑戦的萌芽研究」を発展させ，より長期的かつ大規模な研究を支援する．
   - 研究費を 2,000 万円以下に増額し，アイデアを重視する．
   - 審査は，広い領域からなる審査委員が合議制を重視した「総合審査」とする．

4) 採択率と充足率のバランス（図 2-4）
  - 文部科学省が目標に掲げる科研費の採択率は 30%．
  - 充足率（応募額に対する配分額の割合）は近年低下傾向にあり，平均で約 70%．
  - 今回の改定では，予算の拡充を前提としつつも，採択率と充足率のバランスを確保するように計画された．

5) 新制度への改定について思うこと
  - すぐれた若手研究者を，わが国全体で育成すべき．
  - 限られた予算内で，社会に役立つ研究を推進すべき．
  - 新制度が定着するまでは混とんとすることだろう．
  - しかし，科研費に採択される条件は，日頃の研究から生まれる「アイデア・業績・わかりやすい申請書（見栄え）」の 3 つであることは変わらない．

1 科研費の制度が，平成 30 年度（平成 29 年 9 月申請時）から大幅に改定

- 本書初版において，文部科学省が平成 28 年 4 月に公表した，平成 30 年度から改定される原案の概要を掲載しました．

- その後，文部科学省は，パブリックコメントなどを経て，平成 28 年 12 月 20 日に「科研費による挑戦的な研究に対する支援強化について」を，平成 29 年 1 月 17 日に「科学研究費助成事業の審査システム改革について」の 2 つの方針を公表しました．

- 今回の第 2 版では，これら 2 つの方針の中から，主に若手研究者に関わる事項を示します．主たる改定点は次の 2 つです．
  (1) 申請時の「審査区分」と「審査方式」の抜本的な改革
  (2) 「若手研究」と「挑戦的萌芽研究」の見直し

- 平成 30 年度から改定される研究種目の体系を示します（図 2-1）．それぞれの研究種目の趣旨を，文部科学省は以下のように示しています．

- 「若手研究」種目群は，「若手研究」と「研究活動スタート支援」の 2 つからなります．これらの種目は，若手研究者に独立して研究する機会を与え，研究者としての成長を支援し，「基盤研究」への円滑なステップアップをするための種目です．

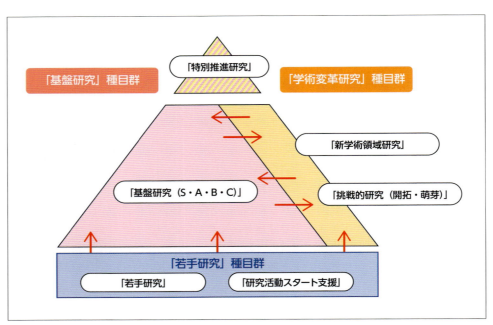

図 2-1　平成 30 年度助成における研究種目体系のイメージ
〔文部科学省研究振興局学術研究助成課が作成の資料より改変〕

- 「基盤研究」種目群は，「基盤研究（S，A，B，C）」からなります．これらの種目は，研究者がこれまでに蓄積した学問分野を深化・発展させ，学術研究の足場を固めていくことを支援する種目群です．

- 「学術変革研究」種目群は，「新学術領域研究」と「挑戦的研究（開拓・萌芽）」の2つからなります．これらの種目群は，熟達した研究者が応募することが多いので，皆さんも研究レベルをさらに高め，将来必ず，この種目群に応募するようにしてください．

- 本年（平成29年）6月，文部科学省の説明会で公表された「応募書類の変更点」を付録6（➡164頁）に追加しました．

- なお，現時点（平成29年6月）で，科研費のさらなる改定がないことを文部科学省に確かめていますが，平成29年9月の申請時には「公募要領」で確認してください．

キラリと輝く申請書 6　研究種目「若手研究」に思うこと

今回の改定では，「審査区分と審査方式」と「若手研究と挑戦的研究」が大幅に改定されました．

本コラムでは，「若手研究」の改定について考えたいと思います．

初版のコラム「キラリと輝く申請書11」では，『研究種目「若手研究」に思うこと』と題して，「若手研究（A）」が抱える2つの問題点を書かせていただきました．

①「若手研究」の年齢制限は40歳未満で，しかも2回しか獲得できない制約がありました．30歳台前半に2回「若手研究」を獲得した人は，30歳台の後半にはベテラン研究者に混じって「基盤研究」に申請せねばならないハンディがあったことです．

②2回目に「若手研究（A）」に申請できる実力のある若手研究者は少ないです．一方「若手研究（A）」を獲得した後に，研究費が4分の1になる「基盤研究（C）」には申請しにくいものです．これらのことから「若手研究（A）」の年齢制限をのばすことを提案しました．

私の提案とは違う観点からですが，今回の改定により，これら2つの問題点が解消されたことに敬意を表しています．

一方，今回の改定で問題なのは，「若手研究」の応募要件が博士号取得後8年未満で，博士号未取得者は科研費を申請できなくなる可能性があることです．この制約により，博士号を持っていない研究者は，自由な発想で自主的な研究ができなくなるのではないか，とりわけ指導者の言いなりの研究をするのではないか，と心配されます．そのような人には「挑戦的研究」があるとはいえ，若手研究者の独創性の芽を摘むことがないようにと思います．

文部科学省の統計によると，わが国の博士号取得者は漸減していますが，毎年1.5万人で，科研費の応募要件の博士号取得後8年間に照らし合わせると12万人が「若手研究」の対象者になります．

一方，「若手研究（A，B）」の新規申請者は2万人，獲得者は6千人（採択率30％弱）です．

これら2つの数字だけから単純に話はできませんが，科研費の申請者が増え続け，10万人を超えた現在，文科省が目標とする採択率と充足率を維持するために，「博士号取得者に限る」という入口を狭くしたのではないか，と思われぬよう，若手研究者に十分に配慮をしていただければと思います．

2　申請時の「審査区分」と「審査方式」の抜本的な改革

- これまでの「分科細目表」は，科研費の審査区分を示すもので，学問分野の体系化したものや，大学や学会の分野などに基づくものではありません．これを明確にするため，これまでの「分科細目表」が廃止され，新たな「審査区分表」が作成されました．その一部を**表 2-1** に示します．

- 平成 30 年度からは，「小区分・中区分・大区分」の 3 つの新しい審査区分で審査がされます．それに伴い，現行の「系・分野・分科・細目表」は廃止されます（**図 2-2**）．

- これまでの細目数は 321，「基盤研究（C）」だけは 432 からなる審査区分でした．また審査は，書類審査と合議審査を，異なる審査委員がおこなう 2 段審査方式でされてきました．

- 新たな審査区分は，「基盤研究（B，C）」と「若手研究」では小区分（306 区分）で，「基盤研究（A）」と「挑戦的研究（開拓・萌芽）」では小区分を複数集めた中区分（65 区分）で，「基盤研究（S）」では中区分を複数集めた大区分（11 区分）で審査がされます．

表 2-1　審査区分表の一例

大区分 I

中区分 55：恒常性維持器官の外科学およびその関連分野

小区分	
55010	外科学一般および小児外科学関連
55020	消化器外科学関連
55030	心臓血管外科学関連
55040	呼吸器外科学関連
55050	麻酔科学関連
55060	救急医学関連

中区分 56：生体機能および感覚に関する外科学およびその関連分野

小区分	
56010	脳神経外科学関連
56020	整形外科学関連
56030	泌尿器科学関連
56040	産婦人科学関連
56050	耳鼻咽喉科学関連
56060	眼科学関連
56070	形成外科学関連

1）「基盤研究（B，C）」，「若手研究」の審査区分（小区分）および審査方式について

- 「基盤研究（B，C）」と「若手研究」の審査は応募件数が多いことから，これまでの学術研究に対応するように，審査区分として306の小区分が設定されています．しかし，学術研究の新たな展開や多様な広がりに柔軟に対応できるよう，小区分は「○○関連」とし，応募者の自由が確保されています．

- 小区分は，応募者が小区分の内容を理解しやすいよう，約10個の「内容の例」が付されています．

- 小区分では，「2段階書面審査」により採否されます．1段階目においては，審査委員全員がすべての応募研究課題を審査します．1段階審査において採否がボーダーラインの研究課題のみを対象として，同じ審査委員が2段階目の審査を行い，改めて評点が付されます．その際，すべての審査委員の1段階目の審査意見などが参考にされます．

- なお，現行の「若手研究（A）」の「基盤研究」種目群への統合に伴い，「若手研究（B）」の名称は「若手研究」になります（後述）．

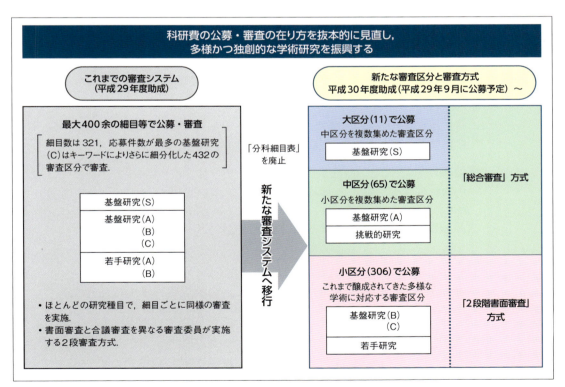

図 2-2 「科研費審査システム改革2018」の概要
〔文部科学省研究振興局学術研究助成課が作成の資料より改変〕

2)「基盤研究(A)」,「挑戦的研究(開拓・萌芽)」の審査区分(中区分)および審査方式について(図2-2)

- 「基盤研究(A)」や「挑戦的研究(開拓・萌芽)」では,広い分野において競争的環境のもとで選定ができるよう,65の中区分が設定されています.中区分の設定に当たっては,学術研究の多様性に配慮しつつ,相対評価ができることを基本とし,総合的な観点から審査ができるようにされています(図2-2).

- 各中区分には,いくつかの小区分が付されています.しかし,小区分の内容だけに縛られないように,各中区分には「〇〇およびその関連分野」との説明が付されています.応募者が自らの判断により,小区分にとらわれず中区分を選択できるようにするためです(表2-1).

- 中区分においては,「総合審査」が実施されます.ただし,応募件数が多い場合には,「総合審査」が実施できる件数となるよう,応募研究課題の概要版によるプレスクリーニングなどにより審査されます(図2-2).

- 審査委員は,すべての応募研究課題について書面審査をします.その上で,同じ審査委員が合議審査において議論し審査されます.これにより,特定の分野だけでなく,関連する分野から見て,創造性,独自性,実行可能性が多角的に判断されます.

- 中区分の審査の特徴は,個別の小区分にとらわれないことから,幅広い視点から合議により審査されることが期待されていることです.

3)「基盤研究(S)」の審査区分(大区分)および審査方式について

- 「基盤研究(S)」においても,相対評価を基本としつつ,総合的な審査ができるよう中区分を集めた11の大区分が設定されています.適切な審査が可能となり,競争的環境下においてすぐれた研究課題の選定が期待されます.

- 個別の小区分にとらわれず,幅広い視点から合議により審査されることから,提案内容を多面的に審査し,すぐれた研究課題を見いだすことが期待されています.

4) 大規模研究種目の審査区分および審査方式について

- 大規模研究種目(「特別推進研究」,「新学術領域研究」)の審査では,一般の研究種目と異なり,[1]審査区分は,「分科・細目」よりも大括りの「系」の単位とし,[2]審査方式は,同一の審査委員が書面審査・合議審査(ヒアリングを含む)に携わり,専門分野に近い研究者が作成する審査意見書が活用されます.

- 「特別推進研究」では,これまでの審査区分(人文社会系,理工系,生物系)でなされる一方,審査方式については専門的な審査意見書の充実を図るとともに,これまでよりも審査委員を少人数とし,合議審査をより活発なものにされています.

- 「新学術領域研究」においては,これまでの審査区分(人文・社会系,理工系,生物系,複合領域),審査方式が当面維持されます.

キラリと輝く申請書 7　どの研究種目，どの区分に申請するのが有利か

　これもよく受ける質問です．平成29年度までの制度について話をしますと，どの細目（新制度の審査区分）も採択されやすさは同じだと思います．なぜならば，採択率はどの細目もほぼ同じだったからです．

　細目間での採択率を平等にするために，大まかに言って，分母（申請者）が多くなると分子（採択者）が多くなる審査方式（計算式）をとられていたようです．したがって，申請者は細目の中で競争することになります．

　しかし，細目の間には研究レベルに明らかな差があります．社会からの研究ニーズも異なるはずです．これまでは，そのようなことは考慮しにくい制度でした．

　平成30年度からは，432に細分化されていた審査区分「細目」が，306の「小区分」に減り，さらに基盤研究(A)などでは65の「中区分」になります．この改革は，研究者の実力を広い視野でより客観的に評価できることから好ましい改革だと思います．

　若手や中堅の研究者が申請する種目は，主に基盤研究(C)，あるいは若手研究です．それらの種目はいずれも約30％の採択率なので，どちらの種目でも同じ条件のように思われます（図2-4）．しかし，基盤研究(C)は教授や准教授クラスも申請するので，30歳台ならば若手研究に申請するのが実質的には採択率は高いと思います．

　いずれにしても，新しい制度が定着するまでは科研費は混とんとすることでしょう．「どの種目，どの区分に申請するのが有利か」を皆さんもじっくりと考えてください．

キラリと輝く申請書 8　応募書類を修正しながら思うこと―科研費事務担当者より①

　研究者が作成した応募書類を，提出できる書類として整えるのが私たち科研費事務担当者の仕事です．研究の内容はちんぷんかんぷんですが，書類の書き方や言葉の選び方，見出しの付け方などによって，おもしろそうな研究だとか，その分野で先駆けとなる研究だとか，研究者の意気込みとか，そういうことくらいは読み取れてきます．逆を言えばせっかくの素晴らしい研究計画なのに書き方次第で，読む側の興味をそぐ応募書類になりかねません．私たちは研究の内容はわかりませんが，どの先生よりもたくさんの応募書類を見てきた立場から「絶対にこの先生は採択されないな」と思うのは次のとおりです．

　1）読む側のことを全く考えず，これは下書きか？と思わせる書類を提出してくる先生．誰かに見てもらったのか？　周りに協力してくれる先生はいないのか？　と心配になります．

　2）前年度，前々年度に採択されなかった研究計画をそのままコピペしてくる先生．コピペも時間短縮になる操作なのでよいとは思いますが，それならせめて年度くらい修正してください．

　3）専門用語が多すぎて先生の熱意が読み取れない書類を出してくる先生．実験の手順や解析方法，試薬の名前を羅列するだけで，先生の研究者としての意気込みがどこにもなくて残念になります．

　4）やる気がないのに仕方なく提出してくる先生．臨床や学生への指導などで忙しいのもわかりますが，空欄が多すぎる先生がいます．「本学の採択率が下がるからもう出さなくていいのにね」と心の中で思います（時々口に出して言います）．逆にぎゅうぎゅう詰めなのも嫌ですが．

3 「若手研究」と「挑戦的萌芽研究」の大幅な見直し

1)「若手研究」の大幅な見直し

- 昭和43年度以降,「奨励研究(A)」によって若手研究者は支援されてきました.その後平成14年度には「若手研究(A, B)」が創設され,平成27年度には継続課題を含め1万6116件,約218億円の助成がなされています.

- 今回の改定では,「若手研究(A)」がなくなりました.ちなみに平成27年度の「若手研究(A)」には,継続課題を含め1407件,約65億円が助成されています.若手研究(A, B)の全体からみると,若手研究(A)の件数はわずか9%ですが,金額は30%にのぼっていました.

- 「若手研究(A)」がなくなった理由は,文部科学省の説明によると,「若手研究(A)」の研究費を獲得できる研究者ならば,若手研究者であっても「基盤研究(B)」などで,先輩研究者と十分に競争できる実力があると考えられたことです.

- また「若手研究(A)」を得た研究者にとっては,「基盤研究」への円滑な移行が難しいことが指摘されていました.この問題点を解決する方策でもあります(キラリと輝く申請書⑥ ➡ 027頁).

- 一方,若手研究者に過度の不安を生じさせないよう,時限的な経過措置として若手研究者を対象とした採択調整の仕組みが導入されます.

- なお,重要なことですが,平成30年度助成より,「若手研究」の応募要件は博士号取得後8年未満の者とし,博士号未取得者は応募要件を満たさないことになります.

- ただし,「若手研究」への応募要件見直しによる激変が生じないよう,39歳以下の博士号未取得者については,当面は応募を認める経過措置が設けられます.

- これら2つの経過措置については新要件導入後3年程度とし,応募・採択の状況を踏まえて改めて検討される予定です.

- 今回の改訂においては,若手研究者への支援が重視されています.その概要は「科研費若手支援プラン—次代の学術・イノベーションの担い手のために—」として示されています.博士号取得後から教授まで科研費の種目を図示します(図2-3).

- 新しい制度で,科研費を計画的に得るための参考にしてください.あなたの努力の上に素晴らしい研究が達成され,キャリアアップにつながることを心より願っています.

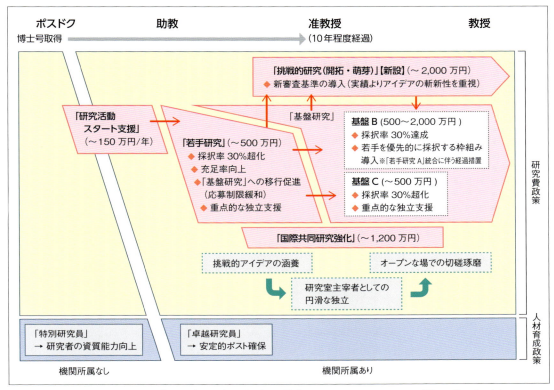

図 2-3 科研費若手支援プラン（CIO）—次代の学術・イノベーションの担い手のために—
〔文部科学省研究振興局学術研究助成課が作成の資料より改変〕

2）「挑戦的研究（開拓・萌芽）」の創設

- 「挑戦的萌芽研究」は，平成 2 年度に導入された「一般研究（C）」などにおける萌芽的研究への支援を端緒とし，その後「萌芽的研究」，「萌芽研究」などへの見直しを経て，平成 21 年度に現行の形になっています．

- その最大の特徴は，論文などの実績を求めず，斬新なアイデアやチャレンジ性を評価するものです．研究者には 500 万円以下の助成がなされ，これまでの専門分野とは異なる新たなテーマを切り拓く際に活用されてきました．

- 今回の改定では，学術に変革をもたらす大胆な挑戦をさらに促すため，現行の「挑戦的萌芽研究」を発展させ，より長期的かつ大規模な支援をすることができる制度になっています（図 2-2，3，4）．

- 具体的には，研究費を 2,000 万円以下に増額し，アイデアをより重視したことです．審査は，広い領域からなる審査委員が合議制を重視した「総合審査」で行われます．

4 採択率と充足率のバランス(図 2-4)

- 文部科学省が目標に掲げる科研費の採択率は 30％です．この数字は，研究課題の多様性を尊重しつつ，独創性・先駆性といった質の担保と，予算の制約を考慮されたものです．

- 一方，充足率（応募した額に対する配分額の割合）は，近年低下傾向にあり，最近の 5 年間では 11％も低下しています．その結果，すべての種目でみても平均約 70％，一部種目では 60％を下回っています．

- これらを踏まえ，今回の改定では，予算の拡充を前提としつつも，採択率と充足率のバランスを確保するように計画されています（図 2-4）．

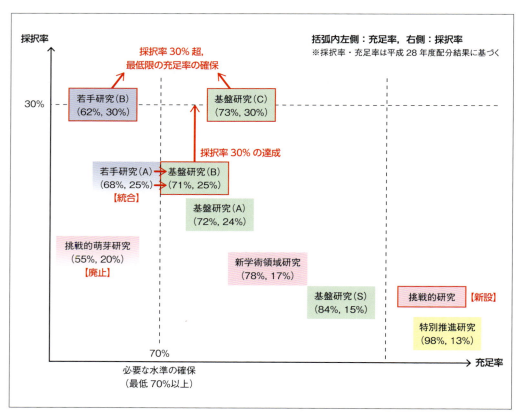

図 2-4 採択率と充足率の関係（イメージ）
〔文部科学省研究振興局学術研究助成課が作成の資料より改変〕

5　新制度への改定について思うこと

- 今回の改定は，「若手研究者の支援プラン」が主たる目的だと捉えています．わが国の研究力を再び高めるには，若手の潜在能力が必要です．ただ，若手研究者なら一様に支援するのではなく，意欲のある研究者，実績のある研究者，独創性がある研究者を重点的に支援しようとする姿勢が伝わってきます．その例として，以下の2つを示します．

- 1つ目は，「挑戦的研究（開拓・萌芽）」の新設です．研究実績がなくとも独創的なアイデアを重視していることです．経験の浅い研究者にチャンス到来と考えるべきでしょう．

- 2つ目は，「科研費若手支援プラン（CIO）」（図2-3）が示されたことです．多くの若手研究者は，科研費の全体像がわからず，科研費を申請していたように思います．本格的な研究者への道筋が科研費の観点から示されたことは，何ごとにも教えられたことには熱心に取り組む，現代の若者向きです．

- これまでの「若手研究（A，B）」については，いくつかの課題がありました．それらは，初版のコラム『キラリと輝く申請書，研究種目「若手研究」に思うこと』の中で書かせていただきました．今回の改定では，それらの課題が異なる方法ですが解決されたことは良いことだと思います（キラリと輝く申請書⑥ ➡ 027頁）．

- 一方，「若手研究（A）」がなくなったことは，若手研究（A）の獲得を目指していた若手研究者にとっては，ショックなことでしょう．優秀な研究者の中には，それを目標の1つにしていた方も多いからです．

- そこで提案したいのは，「若手研究（A）」に代わる褒賞制度の創設です．若者のモチベーションを上げるには褒め称えることだと，私は若者を育成してきた経験から確信しています．優秀な若手研究者を褒賞する制度はすでに学術振興会をふくめ数多くありますが，学内外でさらに創設できたらと思います．

- 新制度が定着するまでは，研究者・URA・事務の方々は混乱されることだと思います．本年6月には科研費改定の説明会があります．例年よりも早く準備することをお勧めします．拙書の上梓も，初版に比べ約1か月早くする計画です．

- 新制度に対応して，科研費の採択率を高める方法はないか？　気になるところです．結論から言うと，ないと思います．科研費に採択される条件は，日頃からしっかり研究をする中で独創的なアイデアを生み出し，それらを申請書にわかりやすく書くことだと思います．拙書のタイトル「科研費　採択される3要素　アイデア，業績，見栄え」は，たとえ科研費の制度が変わっても，不滅だと確信しています．

キラリと輝く申請書 9　1つ上の科研費にアタックしよう

　本書は，科研費の若手研究，基盤研究(C)の申請者を主たる読者にしています．今はしっかり研究をし，論文などの成果を出し，将来，1つランクを上げた研究費に応募できるようになってください．

　ちなみに，科研費においては，夢のような「特別推進研究」と，もう少し努力すれば手の届く「新学術領域研究，挑戦的研究」があります（図2-1）．

　「若手研究」のあとには，「基盤研究(A，B)」を目ざしてください．そして「挑戦的研究」にもチャレンジしてください．これは，<u>研究業績は不問</u>です．申請書を書くスペースも少ないので，見栄えも評価されることが少ないです．しかしその分，「科研費が採択される3要素」の<u>アイデアが重視</u>されますが，机上の空論のアイデアではなく，しっかりした根拠のあるアイデアを示すことが採択されるコツだと思います．そのように言うと，研究業績は要らないように聞こえますが，アイデアを生みだすのは研究の実績が基盤になります．

　やはり本書のタイトル「科研費　採択される3要素　アイデア，業績，見栄え」がすべてです．

キラリと輝く申請書 10　とにかくお願い─科研費事務担当者より②

1）提出期限守ってね

　日学振の提出期限の少し前に，学内の提出期限を設けています．これはミスのない書類の提出を心掛けたいからです．完璧な書類ならよいのですが，そういう書類はまずないです．秋の公募に照準を当てて書き始めてください．

　提出期限の日に「期限あと何日延ばせる？」と聞いてくる先生，日々ご多忙なのは十分に理解していますが，こんな電話してくる時間あるなら早く書いてね，と言いたくなります（たまに言います）．

2）公募要領みてね

　毎年少しずつルールや様式が変更されています．必ず公募要領を確認し，正しく整った書類の提出に努めてください．研究内容が素晴らしいものであっても，書式のルールに沿ったものでないと台無しです．公募要領は書類作成時のヒントも含んでいます．日学振HPの公募ページから最新の公募要領をダウンロードしご確認ください．

3）下書きのまま提出しないでね

　応募書類を出せばいいってものではありません．応募することに意義があるわけでもありません．応募の目的は採択，研究費の獲得です！　空欄が多かったり，ぎゅうぎゅう詰めだったり，誤字脱字，コピペによる文字化けは，事務担当の私たちだけでなく審査委員も興ざめです．工夫次第で見栄えは変わるはずです．私たちを，審査委員を，う〜んと唸らせる（いい意味で）応募書類を期待しています．

4）仲間の先生と一緒にね

　必ず，上の先生，仲間の先生，なんなら下の先生にも見てもらってからご提出いただけるとありがたいです．研究分担者になっているのに知らないままの研究者も多いです．びっくりします．専門用語や研究方法を羅列するばかりで，「それで？」「だから？」と事務屋の私たちでさえ思う書類も多いです．仲間の先生から客観的な意見を聞いてください．

5）重複制限にかからないならどんどん応募してね

　すでに採択されていると「今年は研究計画を書かなくていいんだ〜」と解放感でいっぱいの先生がいらっしゃいます．採択されても是非，ほかの種目にもチャレンジしてください．毎年何かしらに応募してみてください．事務担当の立場からいうと間接経費の獲得にもなりますので．

申請書の書き方

第3章

第3章 申請書の書き方

A 研究課題

> **・Point・**
>
> 1) 「研究課題」の申請書における位置づけ
>   ① 「研究課題」のウェイト
>   - 研究課題（以下，タイトル）は，「審査の評定基準」でも，「科研費が採択される3要素（アイデア・業績・見栄え）」でも，ウェイトは低い．
>   ② 大切なポイント
>   - タイトルを読んだだけで，あなたの研究を審査委員にイメージしてもらう．
>   - 「タイトルは研究の顔だ」との意識で書く．
> 2) 「研究課題」を書くコツと落とし穴
>   ① 指定された40文字を有効に活かすコツ
>   - 40文字あれば，言いたいことの1つは十分に表現できる．
>   - タイトルに複数の内容が混在しているときには，内容を分け副題を付ける．
>   ② 研究内容をわかりやすく言い表す2つのコツ
>   a) 研究のキーワードを的確に入れる
>   - まず，あなたの研究のキーワードをすべて書き並べる．
>   - 次いで，その中からいらないキーワードを順次削除する．
>   - そのために，タイトルは申請書がすべてできてから付ける．
>   b) 「研究目的（概要）」の「結」をアレンジしてタイトルにする
>   - 研究内容を端的に表しているのは「概要」の「結」である．
>   ③ 審査委員にインパクトを与えるタイトルの付け方のコツ
>   a) タイトルの最初と最後に強調したい言葉を用いる
>   b) 時流に乗った文言や表現を用いる
>   - タイトルは，若さあふれる，おしゃれな言葉を用いる．
>   - 新規性，将来性，社会性，国際性を表す言葉や，審査の評定基準（付録3 ➡160頁）にある「独創性，革新性，波及効果，学術的重要性」を示唆する表現を用いる．
>   c) これまでに採択されたほかの申請書を参考にする
>   - 採択されたタイトルを，日本学術振興会ホームページで検索する．
>   d) 一昔前のタイトルやベテラン研究者のタイトルをそのまま用いない

④ そのほかに重要なこと
　a）一般的でない略語や専門用語は用いない
　b）漢字を減らす
　c）動詞は能動態を用いる
　d）複合名詞は用いない
　e）無駄な表現をチェックする
　f）社会への還元を示す言葉を入れる
　g）あいまいな表現は避ける

I 基本編

1 「研究課題」の申請書における位置づけ

- 研究課題（以下，タイトル）は，「審査の評定基準」においては，ウェイトはさほど大きくありません（第1章 ▶004頁，付録3 ▶160頁）．また，「科研費が採択される3要素（アイデア・業績・見栄え）」においても，重要度は低いと思います（第1章 ▶005頁）．

- このように最初から言ってしまうと，気合いが抜けてしまったかもしれません．しかし，タイトルを付けるうえで大切なことは2つあると，私は思っています．

- 1つ目は，審査委員に，タイトルを読んだだけであなたの研究のイメージをわかってもらうことです．研究のイメージをわかってもらえれば，次の「研究目的」がスムーズに読まれることでしょう．

- 2つ目は，「タイトルは研究の顔だ」との意識で書くことです．例えば，友人から「あなたは何の研究をしているのか？」と尋ねられたとき，端的に応える言葉がタイトルです．しかも科研費が採択されたときには，このタイトルがいつまでも引用されることになります．それらを踏まえ，審査委員を引きつけるタイトルの付け方を考えましょう．

- なお本書では，「研究課題」の文字を用いると漢字が多くなり紙面が黒くなるので，第3章Aでは，「タイトル」に略しています．このことは，本書の「見栄え」をよくするためです．詳しくは第4章「見栄えをよくするポイント」をみてください ▶140頁．

2 「研究課題」を書くコツと落とし穴

1）指定された 40 文字を有効に活かすコツ

- タイトルは 40 文字以内で書くように指示されています．その文字数は，日本語論文のタイトルに比べると長いと思います．

- また，本書では，「一文は 40 文字以内とし，1 つのテーマだけを書くことを原則とする」ように勧めています（第 3 章 B ➡ 044 頁，第 4 章 ➡ 139 頁）．すなわち，40 文字あれば，言いたいことの 1 つは十分に表現できるのです．

- しかも，タイトルは文章のように述語がないので，文章より少ない文字数で同じ内容を表現することができます．したがって，40 文字を使い切ったタイトルには 2 つ以上の内容が書かれていることが多く，一読しただけでは研究内容を理解しづらくなるのです．このことを把握したうえで，タイトルを付けましょう．

- そこで，タイトルに複数の内容が混在しているときには，複数の内容を分け，副題（サブタイトル）を付けてください．サブタイトルは「：」（コロン）などで区切って書きます．ただし，私はサブタイトルはあまり好きではありません．

2）研究内容をわかりやすく言い表すコツ

- 審査委員がタイトルを一読するだけで，研究内容がイメージできるタイトルがベストです．その手法を 2 つ伝授します．

①研究のキーワードを的確に入れる

- それにあたっては，まず，あなたの研究のキーワードをすべて書き並べます．次いで，そのなかから要らないキーワードを順次削除します．この手法は，次項の「研究目的（概要）」でも力を入れて書いています．タイトルや短い文章を作成するときに有用な手法です（第 3 章 B ➡ 044 頁，第 4 章 ➡ 139 頁）．

- この手法を用いるために，私は，タイトルは申請書がすべてできあがってから付けるようにしています．書きあがった申請書のなかから，あなたの研究のキーワードや主要な表現を抜き出して，タイトルに用いる手法は，タイトルを付けるコツの 1 つです．本書のタイトルもすべて書き終わってから推敲しました．

- このタイトルの付け方は，私が，ある新聞にエッセイを連載していたときに学んだ手法です．

②次項の「研究目的（概要）」の「結」を変形してタイトルにする

- まだ読んでいないので理解しづらいでしょうが，次項で「研究目的（概要）」の書き方は「起承転結」だと強調しています．その「結」では，あなたの研究内容を的確に言い表しているはずです．

- したがって，「結」の文章をタイトル風にアレンジするのも一法です．

3）審査委員にインパクトを与えるタイトルの付け方のコツ

①タイトルの最初と最後に強調したい言葉を用いる

- 人は誰でも，最初と最後に目がいくものです．そこで，タイトルの最初あるいは最後にインパクトのあるキーワードをもってくるようにしてください．あなたが言いたい内容でも結構です．

- その手法は次のようにします〔一部は 2) ①に似ています〕．
    - → まず，言いたいことを 40 文字にこだわらずにすべて書きます．
    - → そのあとに，40 文字を超えていれば，不要な言葉を省きます．
    - → 次いで，重複した内容あるいは似ている内容はないかチェックします（意外に多いものです）．
    - → 最後に，表現の順序を変えるなど，タイトルを仕上げてください．

- この手法は短い文を書くときに用います．詳しくは別のところで説明しています（第 3 章 B ➡ 044 頁，第 4 章 ➡ 139 頁）．タイトルはわずか 40 文字以内なので，この手法が有用です．なお，この手法を会得すれば，学会の抄録や論文タイトルにも応用できます．

②時流に乗った文言や表現を用いる

- 私は，若い先生に「タイトルは，若さあふれる，おしゃれな言葉を用いるように」とアドバイスしています．例えば「新規性，将来性，社会性，国際性」を意味する言葉です．また「審査の評定基準」に示された，「独創性，革新性，波及効果，学術的重要性」を示唆する言葉を用いるのもよいと思います（付録 3 ➡ 160 頁）．

- とは言っても，急におしゃれな言葉は思いつきません．日頃から，学会抄録や論文タイトルを見て，「おしゃれな表現だ」と思ったら書きとめるようにしてください．

③これまでに採択されたほかの申請書を参考にする

- これまでに採択された申請書のタイトルは，日本学術振興会ホームページで検索することができます．おしゃれなタイトルを見つけるだけでなく，アイデアに富んだ研究に出会って刺激を受けることがあります．余裕をもって，他領域のタイトルや研究にも目を向けてください．
    - ➡ 日本学術振興会ホームページ（http://www.jsps.go.jp/）

④一昔前のタイトルやベテラン研究者のタイトルをそのまま用いない

- 一昔前の申請書のタイトルは古くなっていることがあります．指導を受けている先輩のタイトルを考えもなくまねることは危険です．研究と同じように，常に新

しい情報と発想力をもつようにしてください．
- 基盤研究（A，B）と若手研究とでは，タイトルの内容は多少異なるように書きます．基盤研究（A，B）では，総合的なタイトルになるでしょうが，若手研究では，具体的なタイトルにするのがよいでしょう．それらの研究者では研究業績や研究内容が根本的に違うので，先輩のタイトルをそのまま用いないでください．

4）そのほかに重要なこと

- 審査委員が，タイトルを一読しただけで，研究内容を理解してもらうコツを列挙します．詳しくは第4章 ➡ **140頁** をみてください．

①一般的でない略語や専門用語は用いない
- DNA や WHO のような一般でもわかる略語は大丈夫です．あなたの専門領域（細目）で一般的な略語を用いることも可能です．

②漢字を多くしない
- ほかの表現にするか，思い切って「ひらがな」にできないか考えてください．

③動詞は能動態を用いる
- 文章と同じように，力強く表現するためです．日本語は受動態の表現が多いので，書き終わってからチェックしましょう．

④複合名詞は用いない
- 漢字が連続すると読みづらいので，漢字の間に助詞や述語を入れます．

⑤無駄な表現をチェックする
- 重複する言葉や表現はないか，研究のキーワードでない言葉を使っていないかを見直してください．タイトルは，2つ以上の内容が含まれていることが多いので，意外と重複した言葉は多いものです．

⑥社会への還元を示す言葉を入れる
- 「○○の臨床応用」，「創薬に向けた△△」などとします．

⑦あいまいな表現は避ける
- 「□□について」，「××に関する検討」などは，その典型です．もっと具体的なタイトルにすることにより，あなたの研究内容を正しく伝えることができます．とは言っても，私の若いころの日本語の論文タイトルは，恥ずかしながら「○○の研究」，「○○の検討」のたぐいが多かったです．最近の科学論文では少なくなっていますが，学会抄録ではこの種のタイトルがまだ散見されます．

II 実践編

- 基礎編をマスターしたあとに，実践編に入ってください．
- 実例を，Before，After の形式で示します．

Before

尿路結石症合併膀胱腫瘍の発症機序の分子生物学的検討（25文字）
❶　❷　　　　　　　　　　　　　　❸-1　　❸-2

After

尿路結石における膀胱腫瘍の分子機構の解明と新たな診断薬の開発応用（32文字）
　　　　　　　　　　　　❺　　　❻❻　　　❼

図 3A-1　実例 1

❶ 複合名詞になっている．
❷ 「症」は不要な言葉．
❸-1 一昔前の流行のタイトル．
❸-2 「検討」はよく使われるが，抽象的な表現．
❹ 2つの内容をマッチさせている．
❺ 新しい研究手法（審査委員にわかるものならばより具体的な名前でもよい）．
❻ 新規性を表す．
❼ 社会への還元を示す．

Before

尿路結石と動脈硬化との類似性から見た尿路結石の分子機構の解明（30文字）
❶　　　　　　　　　　　　　　❶　　　　　　❷

After

動脈硬化との類似性に着眼した尿路結石の分子機構の解明と新たな予防薬の開発（36文字）
❸
尿路結石の分子機構の解明と新規予防薬の開発；動脈硬化との類似性に着眼して（36文字）
　　　　　　　　　　❺
新たな予防薬の開発に向けた尿路結石の分子機構の解明と生活習慣病への応用（35文字）
❻　　　　　　　　　　　　　　　　　　　　　❼❽

図 3A-2　実例 2

❶ 1つのタイトルに重複する言葉がある．
❷ 社会に還元する姿勢がみられない．
❸ 最初に，着想のおもしろさを示している．
❹ サブタイトルにして，目立つようにしている（私は，サブタイトルはできる限り用いません）．
❺ 新規性を示せている（そのままの表現だが）．
❻ 最初に言いたいことを書いている．
❼ 最後に目立つことを書いている（他領域への発展として）．
❽ 着想のおもしろさと発展性を示している．

第3章 申請書の書き方

B 研究目的①
（概要）

▪ Point ▪

1) 研究目的（概要）は，論文の abstract と同じである（図 3B-1 ➡ 045 頁）
   - 審査委員は，まず「概要」を読み，わかりやすく魅力的であれば「本文」を読む．その時点でようやくあなたの申請書は審査されると考える．
   - 概要はわずか 320 文字の世界．短いがゆえに他人との差があらわれる．
   - あなたの申請書の評価は「概要で決まる」．
   - 申請書を作成する多くの時間を「概要に充てる」．

2) 概要の書き方の基本型は，「起承転結」である（表 3B-1 ➡ 048 頁）
   ① 「起承転結」は，申請書の指示に従って，わかりやすく書く基本型．
   ② 「起」では，本研究にかかわる研究の動向あるいは位置づけを書く．
   ③ 「承」では，あなたのこれまでの研究成果を書く．
   ④ 「転」では，「承」の研究成果を踏まえ，本研究に至った着想を書く．
   ⑤ 「結」では，本研究の研究目的，特色や発展性を書く．

3) 「概要」の書き方に慣れるまでのコツ ➡ 053 頁
   ① いきなり文章を書かない．
   ② 言いたいことを単文にして，「起承転結」ごとに書き並べる．その中から，さらに言いたいことを 8 行選ぶ．
   ③ 本文の「研究目的①，②，③」をまず書いてみる．その中から，キーとなる文を 8 行選ぶのも一法．
   ④ 書くことに慣れてきても，320 文字以内で書こうと意識しない．言いたいことをすべて書き，そのなかから不要なものを削る．

4) その他の留意点 ➡ 055 頁
   ① 「概要」は，読みやすく，理解しやすく，平易に書く．
   ② 漢字，専門用語，略語，英語を少なくする．
   ③ 以下のものを参照する．
     - 見栄えをよくするポイント ➡ 139 頁．
     - 申請書を引き立てる表現 ➡ 158 頁．
     - 科研費を申請する前のチェックリスト ➡ xxii 頁．

I 基本編

1 研究目的（概要）は，論文のabstractと同じである

- 突然ですが，あなたは学術論文をどこから読みますか？
  あなたは研究で多忙なので，論文のすべてを読むことはできません．専門分野の論文ならいざ知らず，まずabstractを読むことでしょう．そして興味があれば本文を読んでいるはずです．

- 科研費の申請書も同じです．審査委員は，申請者の名前と所属，研究課題名を見たあとには，まず「研究目的（概要）」（以下，概要）を読むはずです．わかりやすく，魅力ある概要であれば，本文を興味深く読まれることでしょう（図3B-1）．その時点で，あなたの申請書はようやく審査の土俵に乗ったと考えてください．

- 「概要」を書くスペースは点線で指示されています．平成25年度からは「位置を変えないこと（下げないこと）」と公募要領に示され，平成26年度からは「消さないこと」とまで記されています．

- すなわち概要はわずか8行です．1行40文字余りなので，「概要は8×40，320文字の世界」です．されど320文字．短いがゆえに，他人との差が如実にあらわれます．あなたの申請書は「概要で決まる」と言っても過言ではありません．

- 申請書を作成する多くの時間を「概要」に充ててください．本書でも，わずか320文字の概要の書き方に，19頁（全体の約10％）を割いています．「概要」で審査の評価が決まります．

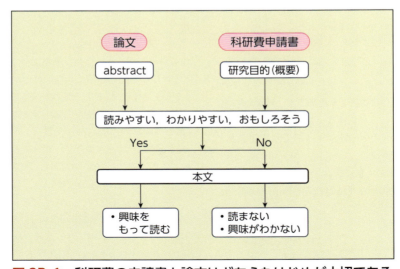

図3B-1　科研費の申請書と論文はどちらもはじめが大切である

2　概要の書き方の基本型は，「起承転結」である

- 申請書の書き方は研究と同じです．人それぞれに個性豊かであるべきだと思います．ただ共通していることは，審査委員からの高い評価を得たいとの思いです．そのためには，<u>審査委員に申請書の内容が理解され，興味をもたれることが必須です</u>．その基本となる書き方が「起承転結」だと，私は確信しています．

- 起承転結は，論理的に考える基本型だといわれています．まとまりのない話や文章には，どこか起承転結がみられません．皆さん，学術論文や学会発表を思い浮かべてください．きっと起承転結の構成で発表しているはずです．その発表スタイルは日頃の訓練から生まれたもので，自然に行っているのです．

- 皆さんの学会発表と同様に，熟達した研究者は，起承転結をあえて考えていません．しかし，その申請書をよく見ると，「起承転結」あるいはその変形になっていることがわかります．<u>申請書の作成に慣れるまでは，「起承転結」を基本型にしてください</u>．

- 本書では，多くのところで「基本」の大切さを強調しています．基本をしっかりマスターすれば<u>上達が早いことは，スポーツや習い事，研究や診療においても同じです．</u>

キラリと輝く申請書 11　「起承転結」こそ科研費の採択を左右する

「研究目的（概要）」の書き方は，「起承転結」が基本であることを強調しました．では，起承転結とはどんなものなのでしょうか？

大辞泉によると，起承転結は「①4行から成る漢詩，特に絶句の構成法，②物事の順序や組み立て」とあります．起承転結の歴史は古く，13〜14世紀の中国で唱えられたようで，わが国では，頼山陽の作と伝えられる下記の漢詩が有名です．
(起)大阪本町　糸屋の娘　(承)姉は16，妹14
(転)諸国大名は弓矢で殺す　(結)糸屋の娘は目で殺す

一方，「起承転結」の手法に批判的な意見も散見されます．それらの批判をまとめると，起承転結は，
1) 論文では，人を説得するための構成ではない
2) 「転」で唐突な内容が出るので，文脈を乱し，論理性を崩す
3) 「結」を初めに書くほうがインパクトがある
4) 中国原産の日本仕様の手法であり，国際的にはほかの手法（パラグラフ・ライティングなど）が主流である

などです．

これらの考え方は，論文など長い論述において言えることで，わずか320文字の「研究目標（概要）」では，簡潔に論理的に書くために「起承転結」が基本です．なお，パラグラフ・ライティングについては，第3章D「研究計画・方法」の手法の1つなので，そこで触れます ➡ 105頁．

ところで，<u>私が皆さんに推奨したい名著に「NHK新アナウンス読本」があります</u>．それによると，ニュースの文章は，5W1Hと，起承転結で構成されているそうです．しかし重要なのは，起承転結の4つをいつも同じ順序にしないことや，同じウェイトで喋らないことです．例えば「転」から始め印象を強くすることや，「結」を提起したあとに「なぜならば」でつなぐテクニック，などです．

「起承転結」は基本型です．それを独創性とアイデアで応用することが大切なのは，科研費だけでなくどの領域でも同じのようです．

この名著は多彩です．「語り口調」「司会」「ナレーション」の章は学会発表において，「放送用語」の章は用語の使い方で参考になります．現在では絶版ですが，手に入れると新しい視野が広がるでしょう．

3 「起承転結」で何を，どのように書くか

- 概要を「起承転結」のスタイルで書くメリットは，論理性を高めるだけではありません．科研費の申請書の「研究目的を書くときの説明事項」（図 3B-2）を読み返してください．

- 研究目的には，①，②，③の 3 項目を記述するように指示されています．しかしよく読むと，①は，2 つの項目からなり，研究目的に書くべき内容は 4 つに大別されることがわかります．それら 4 つの項目は，これから説明する「起承転結」の内容と一致しているのです．

- 私は，この研究目的を書くたびに，「科研費申請書の説明事項」を最初に考えた方は，論理的な思考能力にすぐれておられるのだろうと敬服しています．

- 科研費の審査（第一段）における評定基準をもう一度見直してください（付録 3 ➡ 160 頁）．平成 28 年度の評定基準は 6 つからなりますが，そのなかで，研究目的（概要）にかかわる評定基準は，①学術的重要性と妥当性，②独創性と革新性，③波及効果と普遍性，の 3 つです．このことに留意しながら書くことがポイントです．

- 次に，「起承転結」それぞれの具体的な書き方を説明します．

> 「起」では，「本研究に関連する国内・国外の研究動向および位置づけ」を書きます（表 3B-1 ➡ 048 頁）．

- 「起」は，あなたの研究の必要性を導くために書くのだと考えてください．あなたの研究が学術的のみならず社会的にも重要であることを強調します．したがって，一般的なことは最低限にとどめ，簡潔に書きます．

図 3B-2　研究目的を書くときの申請書の説明事項（若手研究）
4 つの項目からなり，それらは「起承転結」のスタイルになっている．

表 3B-1　起承転結で何をどのように書くか

1)	申請書の指示に従った基本的な書き方	・申請書の作成に慣れるまでは「起承転結」の基本型に従うのが，上達への早道．研究費獲得への王道
2)	概要の文字数は？	・申請書の文字が 11 ポイントとすると，8 行以内，1 行 40 文字余りとなり，「320 文字の世界」
3)	起承転結で書くポイント	**「起」** 本研究に関連する国内外の研究動向を書く ・本研究の必要性を導くように書く ・本研究の学術的，社会的な重要性を強調する ・一般的な事項は必要最低限にとどめる ・専門的になりすぎない **「承」** あなた(方)のこれまでの研究成果を書く ・研究成果の独創性や新規性をアピールする ・医学的および社会的価値が高いことに触れる ・最近発見したことや予備実験データを書く ・国内外から評価を受けたことをさらりと述べる ・多岐にわたる研究成果は総合的に書くと重厚感が出る ・若手研究者の申請書では，指導者の研究の延長線上にあることがわかるよう書く **「転」** あなた(方)のこれまでの研究成果を踏まえ，本研究の着想や経緯を書く ・これまでの研究を継続したものは，実現性が高いと評価されやすい ・すぐれた着想でも，基盤の成果がなければ，実現性が低いと評価される ・研究には「着想」が最も重要なので，着想に至った経緯を魅力的に書く ・着想を書くのが難しいときは，現在の研究での未解決点や疑問点を着想にする ・申請書の作成は，これからの研究の展望を見つめ直す絶好の機会ととらえる ・先端的な研究手法を書くのは効果的 ・内容が複数にわたるときは短文にするとわかりやすい **「結」** 本研究の研究目的(狭義の)を述べる ・本研究の特色，意義，発展性にも触れる ・研究目的(狭義の)が多いときは箇条書きにする
4)	起承転結 4 つの配分は？	・320 文字を「起承転結」の 4 つに振り分ける ・配分は若手研究者と熟達者とで多少異なる ・若手研究者では，研究成果と研究目的(狭義の)が少ないので起承転結の比率はほぼ 4 等分 ・熟達した研究者では，研究成果とそれを発展させた研究目的，さらに独創性や特色も多いことから「起」は簡潔に述べる．または，「起」を省略してもよい

- 研究を始めた人に多い傾向として，次の2つの悪いパターンがあります．

  (a) 学生でも知っているようなことをダラダラ書く
  (b) 専門家にしかわからない先端的な研究を長々と書く

- 審査委員の多くは，申請者とほぼ同じ領域の研究者ですが，専門家ではありません．
- (a)については，審査委員にとっては当たり前の内容なので，冗長になります．インパクトもありません．あなたの研究や申請書のレベルが低く評価される心配があります．このことは重要なので，次項の「研究目的」でもう一度触れます ➡ 063頁．
- 一般的事項をダラダラ書いているケースのなかには，自分自身のデータがない人や，独創的な考えがない人が多いように思います．このような冗長な書き方を「水増し」と，私は称しています．あなたの申請書の中身が充実しているのであれば，「水増し」と混同されないようにしてください．
- (b)については，あなたの研究が先端的であればあるほどに，審査委員はあなたの申請書の内容を理解できません．審査委員は約100件もの申請書を，約1か月間の限られた期間内に査読しています．理解しにくい申請書は，たとえすぐれた研究計画であっても採択されないと考えておくべきでしょう．
- 「起」は，あなたの研究の必要性を引き立てるように書くのです．

「承」では，「あなた(方)のこれまでの研究成果」を書きます(表3B-1 ➡ 048頁)．

- あなたのこれまでの研究成果の独創性や革新性，新規性をアピールします．医学的だけでなく社会的にも価値が高いことにも触れます．
- 最近発見したことや，論文にはまだなっていない予備実験データを書くと，あなたの研究への期待感が高まります．
- 単に研究成果を書くだけではなく，研究に至った着想，独創性，新規性をアピールすると効果的です．書くスペースがあるときには，国内外の学会から評価を受けたことをさらりと述べます．
- 熟達した研究者では，研究成果が多岐にわたるので，成果を個々に書かず，総合的に書くと重厚感が高まります．個々の具体的な研究成果は「研究目的」の本文にしっかり書いてあることが審査委員にわかるように示します(図3B-8 ➡ 061頁)．
- 一方，若手研究者では，あなたの研究計画が指導者や研究グループの延長線上にあるときは，そのことがわかるように書きます．研究計画の実現性が高いと評価されることでしょう．
- 「承」においても，わかりやすく読みやすく，専門的になりすぎないように，審査委員の立場になって書いてください．

> 「転」では，「あなた(方)のこれまでの研究成果を踏まえ，本研究の着想に至った経緯」を書きます（表 3B-1 ➡ 048 頁）．

- なぜ，これまでの研究成果を踏まえた研究計画が大切なのでしょうか？
- それは，これまでの研究成果を発展させた研究であれば，「研究の実現性が高い」と評価されやすいからです．たとえ素晴らしい着想の研究計画でも，研究の基盤となる実績や実験手法が示されていなければ，実現性が低いと評価されても仕方ありません．机上の空論になるからです．
- これまでの定説や概念をくつがえす研究こそが，研究の醍醐味です．審査をする立場からすれば，そのような研究を発掘することが本来あるべき姿です．
- しかし，研究業績のない人に研究助成金は出しづらいものです．その種の研究は，申請条件が合えば「挑戦的研究（萌芽）」または「研究活動スタート支援」などに申請するとよいでしょう（第 2 章 ➡ 024 頁）．
- 研究には「着想」が最も重要です．したがって本研究に至った着想を魅力的に書くことがポイントです．しかし「着想」を書くのは正直言って難しいものです．そこで，私は，「着想」に悩んでいる若手研究者に次のようなアドバイスをしています．
- 現在している研究のなかで，まだ解決していないことや疑問点を「着想」として書くことです．このことにより，あなたにとって，これまでの研究成果を見つめ直し，これからの研究の方向性を整理する絶好の機会になります．
- 若手研究者のなかには，研究に没頭するあまり，現在行っている研究の全体像を見失っている人がいます．とくに熱心な研究者にその傾向がみられます．科研費の申請書を作成することは，これからの研究の展望を見つめ直すよい機会だと考えてください．そんな余裕を持つ時に，「思わぬ着想」が浮かぶものです．
- 最新の研究手法の名前を書くのは効果的です．ただし，本文中にその内容をわかりやすく説明してください．内容が複数にわたるときは短文にすると理解されやすくなります（第 4 章 ➡ 139 頁）．
- あなたの研究のおもしろさ，着想，独創性，新規性を「転」に書きます．

結

> 「結」では，「本研究の狭義の研究目的」ならびに「本研究の学術的な特色や独創性，予想される結果と意義」を書きます（表 3B-1 ➡ 048 頁）．

- 申請書の説明事項には，「研究期間内に何をどこまで明らかにしようとするのか」と指示されています．それらは，「狭義の研究目的」あるいはあなたの研究の「サブテーマ」に相当します．内容は多岐にわたるので詳しくは次項の「C．研究目的」で書くこととし，「研究目的（概要）」では，そのエッセンスを書きます．

- さらに本研究の波及効果と普遍性，学術的および社会的な特色，意義，発展性についても 320 文字の限られたスペースと相談して書いてください．これらも詳しくは本文で書きます．

- 「サブテーマ」が多いときは箇条書きにするのがコツです（第 4 章 ➡ 144 頁）．熟達した研究者や，基盤（A，B）の申請書に用いるとよいでしょう．

- 「結」とは言え，倒置法で概要の文頭にもってくるとわかりやすく，インパクトが増すケースがあります（キラリと輝く申請書⑪ ➡ 046 頁）．しかし，その内容はとかく研究課題（タイトル）と同じものになりがちで，インパクトに欠け，逆効果のことが多いように思います．申請書の作成に慣れるまでは，「起承転結」の基本型に従うことを勧めます．

- 下記に，「結」の書き方の 2 つの基本型を示します．

    > (a) <u>本研究の目的は</u>，○○の作用機序を解明し，××の開発に向けた臨床応用につなげることである．
    > (b) これらの成果を踏まえ本研究では，△△の開発を目的に□□の作用機序を<u>解明することを目的とする</u>．

- (a)のタイプは，「研究の目的」を主語にすることで，あなたの言いたいことが明瞭になり，申請書が引きしまります．

- (b)のタイプは，この前の文脈から用います．短い文ならばこのタイプが柔らかさがあり，わかりやすいでしょう．

4　「起承転結」の分量とそれぞれの配分

- 「研究目的（概要）」を書くスペースは，申請書の文字の大きさが11ポイントとすると1行40文字余り×8行以内なので，320文字の世界です．

- 320文字を起承転結の4つに振り分けることになります．その配分は，若手研究者と熟達した研究者とで多少異なると，私は考えています．

- 若手研究者を対象とした若手研究と基盤研究（C）の一部では，これまでの研究成果はまだ少なく，研究テーマも少ないことから，起承転結の比率はほぼ4等分になるのがよいと思います（図3B-3a）．

- 一方，熟達した研究者を対象とした基盤研究（A，B）と基盤研究（C）の残りの一部では，研究成果が多く，それらを踏まえ発展させた研究テーマが多く，さらに独創性や特色も豊かなことでしょう．そこで，「起」は簡潔に述べるか，あるいは「起」を省略して「起承」を合わせたスタイルにすると申請書に重厚感が出てきます（図3B-3b，9）．

- 「起」を省略し，「起承」を合わせた表現例を以下に示します．

  > (a) 私たちは，これまでの一連の研究において，○○の開発に成功し国内外から高い評価を受けた．本研究では，その成果を踏まえ，……
  > (b) 私は，△△の発想のもと，□□の作用機序の解明を一貫して行い，××を世界に先駆けて証明した．

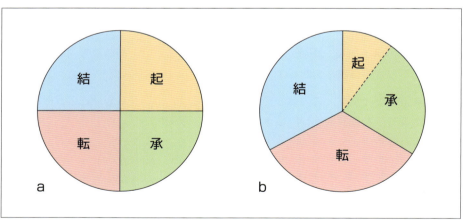

図3B-3　起承転結の配分
a：若手研究者では，4項目はほぼ均等にする．b：熟達者では，「転」と「結」を多くする．

5　「概要」の書き方に慣れるまでのコツ

- 概要を書くなかで，何が大切で，何が軽い内容かが自然にわかるまでは，以下の書き方をお勧めします．学会の抄録も同じ書き方をすると，多くの抄録のなかでもあなたの抄録は一段と引き立つことでしょう．<u>限られた文字数における書き方の基本型を身につけてください</u>(図 3B-4)．

1) いきなり文章を書かない，言いたいことを単文またはキーワードにして，4つの項目別に書き並べる

- 書き並べたなかから重要なものを選んで文章にします．概要はわずか 320 文字，8 行です．一文の長さを 40 文字(概ね 1 行)とすると，「わずか 8 つのこと」しか書けません．言いたいことを 8 つ選んだあとに重要なことは，それらをつなげる「文の接続に有用な表現」です(付録 2　➡159頁)．

2) 本文の「研究目的①，②，③」の事項をまず書いてみる

- <u>研究目的の本文で書いたなかからキーワードあるいは主要な文を抜き出す手法は有用です</u>．自分の研究なのに，申請書の全体像がみえていない人が意外にも多いものです．その人たちに基本となる書き方です．なお，この手法は，「研究課題のつけ方」のコツでもあります(第 3 章 A　➡038頁)．

3) 書くスペースは「320 文字以内であること」を意識しすぎないで書く

- 慣れてきたら直接文章にして書いてください．しかし，そのときに大切なことは 320 文字をあまり意識しないことです．このときにも，<u>言いたいことをすべて書き，そのなかからより重要なところを残す手法をとると</u>，読み応えのある文章になります．

4) 文の接続に有用な表現を有効に使う

- 重要なことは，起承転結のそれぞれをつなぐ「文の接続に有用な表現」を有効に用いることです．このことは，申請書のすべての項目においても大切なので，参考資料として巻末にまとめました(付録 2　➡159頁)．どの接続詞が相応しいか，皆さんの好みで選んでください．

- 学会抄録や学術論文を書くときにも，これらの「文の接続に有用な表現」を用いてください．<u>「文の接続に有用な表現」を用いた言葉にはどこか深みがあります</u>．

若手研究申請者の実例

| 研究課題名 | 「腎結石のマトリックス成分（オステオポンチン）の機能解析による抗体治療の開発」 |

1 「起」；国内外の動向
- 腎結石の発症頻度は先進国で近年急増
- 腎結石の主因は欧米化の食生活である
- 腎結石の形成機序はいまだ解明されていない
- 腎結石は90％の無機物質と数％の有機物質から構成

2 「承」；これまでの研究成果
- 有機物質の成分としてオステオポンチンを同定
- 腎結石のオステオポンチンに係わる分子機序を解明
- オステオポンチン抗体により，腎結石を抑制
- 結石学の概念を変える発見は，国内外から反響があり高い評価を得た

3 「転」；研究の着想
- ヒトでもオステオポンチン抗体治療が可能と考える
- サルを用いた尿路結石モデルはない

4 「結」；研究の内容
これらの成果をもとに，
① オステオポンチンが腎結石形成に係わる機序の解明
② オステオポンチン抗体による分子標的治療薬の開発

若手研究申請者の実例　完成版

| 研究課題名 | 「腎結石のマトリックス成分（オステオポンチン）の機能解析による抗体治療の開発」 |

起 腎結石の発症は急増し，再発予防法の確立は先進国において緊急課題になっている．承 私たちは，これまでの無機物質からの治療に限界を感じ，オステオポンチン（OPN）などの有機物質を同定し，腎結石の分子機構を世界に先がけて解明した．次いで，OPN のノックアウトマウスやトランスジェニックマウスを作成し，OPN は腎結石の形成を促進することを証明した．転 これらの研究成果から OPN の腎結石促進作用に着目し，OPN 特異抗体による結石形成の抑制に，マウスにおいて成功した．結 これら一連の研究成果を踏まえ，本研究では OPN 特異抗体を用いた治療薬の開発を目指し，まずサルを用いて腎結石モデル動物を作成し，OPN 特異抗体の作用機序と効果を遺伝子レベルで調べる．

（315文字）

図3B-4　「研究目的（概要）」の書き方の基本型

Before まず，言いたいことを「単文」で書いてみる．それらを「起承転結」に振りわける．
After これらの単文を文章にする．その際以下の表現を用いる．
1) 申請書を引き立てる表現（❶〜❹，❻，❼，❾）（付録1 ➡ 158頁）．
2) 文の接続に有用な表現（❺，❽）を用いる（付録2 ➡ 159頁）．

6　その他の留意点

- これまで述べたことをマスターすれば、「起承転結」の4つのパートは立派にできあがります。しかし、まだ次のような留意点があります。

1) 読みやすさ、わかりやすさを心がける

- 何度も強調しましたが、概要を書くときに大切なことは、読みやすさ、わかりやすさです。そのためには、次の基本を守ってください。

① 漢字は文章全体の 20〜30％

- 書店で手にする「文章の書き方」の教則本には、漢字は30％以内とあります。私たちが用いる学術用語は漢字が多いので、最初から「漢字は20％にする」気持ちでようやく30％になります。

- このことは、すべての項目において大切なので、第4章で、「漢字を少なくする書き方」と「平易な言いまわし」に例示しました ➡ 151, 156頁.

② 専門用語を少なくする

- 審査委員は、あなたが行っている先端的な研究の専門家ではありません。特殊な専門用語はわかりやすい表現にできないか工夫してください。どうしても専門用語を用いるときは、説明する言葉を付けます。その方法は㋐修飾語として専門用語の前に用いる、㋑専門用語のあとに（　）で説明する、㋒脚注で示す、㋓図で解説する、の4つがあります。一方、先端的な研究をアピールするときには、「　」やアンダーラインを用います（第4章 ➡ 151頁）.

③ 略語や英語を少なくする

- これも②の理由と同じです。どうしても書かなければならないときは、②と同じ手法を用いてください。慣れない言葉を、いきなり「概要」で読まされると、すっきりと内容が頭に入ってきません。審査委員の評価を考えましょう。

④ つかみの1行が重要

- 文章のはじめにインパクトのある内容あるいは表現を用います。一文は短く、40文字以内（1行以内）を目ざします。かつ一文には1つのことを書くように心がけると読みやすい申請書になります。

2) ほかに参照する資料

- そのほかには、第4章「見栄えをよくするポイント」 ➡ 139頁、付録1「申請書を引き立てる表現」 ➡ 158頁、「科研費を申請する前のチェックリスト」 ➡ xxii頁 を参照してください。

B　研究目的①

II 実践編

1 実例から学ぶ；その前に7つの留意点

1）基本編をマスターしたあとに実践編に進む

- 次に，5つの実例を示しながら，「研究目標（概要）」を書くポイント，コツと落とし穴を具体的に説明します（図 3B-5〜9）．理解を深めるために，基礎編をマスターしておいてください．

2）例示した問題点は，若手研究者にみられる共通したものである

- **Before** で問題点を示し，**After** でそれらの対応方法を示すスタイルをとりました．**Before** における問題点は，若手研究者の申請書に共通してみられるものです．できる限りそれらの問題点をのせました．

3）今すぐに対応できない問題点をどう克服するかが，ポイント

- 今すぐに対応できるものが大半です．たとえば，①文字の使い方，②文章を短くする，③漢字を減らす，④「起」を短くする，などがあります．
- これらを改善するだけでもあなたの申請書は数段よくなります．しかし，より高いレベルを目ざすには，今すぐには対応できない問題点をクリアすることが大切です．具体的には，①独創性がない，②「転」が明確でない，③論理性に欠ける，④研究業績が乏しい，⑤研究計画自体に欠陥がある，などの問題点です．この点をしっかり理解し，克服する形で申請書を作成してください．
- このことは，科研費が採択される3要素（アイデア・業績・見栄え）にかかわることです（第1章 ➡ 004頁）．言うまでもなく，研究を日頃から地道に行うことです．

4）時間をおいてもう一度読み直すと改善すべき点に気づく

- **Before** の内容は，5つの申請書のうち2つは実際のものですが，残り3つは，私が今回あえて作成したものです．3名の研究者の名誉（？）のためにもお断りしておきます．
- 今回これらの申請書を読み直してみると，このように書けばもっとよくなるのにと思う箇所があります．提出前に，私がチェックした申請書ですが，時間をおいて今回読み直すと改善すべき点に気づきました．このことは重要で，「科研費を申請する前のチェックリスト」➡ xxii 頁，キラリと輝く申請書18, 19 ➡ 138頁 でも触れています．

5）「申請書の書き方」だけでなく，研究業績や研究計画に力を入れる

- 例示した申請書はすべて，30歳台(当時)の研究者のものです．本書の主たる読者と同じ年齢層の実例を用いました．5名全員が幸いにして採択されましたが，「申請書の書き方がよかった」だけでなく，これまでの研究業績がある程度評価され，ユニークな研究計画であったことが総合的に判断されたものだと思います．
- 申請書の書き方のテクニックだけに走らないようにしてください．

6）基本型に加えて，ほかにはないアイデアや工夫を凝らす

- 本書は，主に若手研究者を対象にしているので，「基本型」を大切にした書き方を示しています．基盤研究(A，B)ではレベルが高くなるので，これらの基本型に加えて，ほかの申請書にはないアイデアや工夫を凝らしてください．その一例として図3B-9 を示しました．

7）コメントだけでなく，例示の文章にも目を通す

- ここで例示した文章は，あなたの専門領域とは異なるので，読みにくいかもしれません．しかし，あなたの申請書が採択されるには重要な言い回しを示しています．赤字で示したコメントだけでなく，文章にも目を通してください．
- 文章を部分的に読むのではなく，文章の流れをつかんでいただきたいと思います．

キラリと輝く申請書 12　0.9 × 0.9 × 0.9 × 0.9 の原則

　ある秘伝を人に伝えたとき，正しく伝わるのはたかだか90％ではないでしょうか．次に伝えたときには81％になり，その次には72.9％と減衰すると，4人目に聞いた人は最初の65.61％しか伝わらないことになります．

　私は教室の先生方に「同じことだけを，同じように伝えていくと，いずれはゼロに近づく．絶えず新しいオリジナリティを付け加えて伝承しないと進展はない」と話してきました．

　このことはあらゆることについて言えます．私たちの領域で言えば，手術の修得がその典型で，芸能やスポーツも同じです．達人の秘伝とは言え，孫弟子は81％しか身についていないと考えます．

　ではどうすべきか？　1つは，達人から直接教わること，2つ目は新たなことを付け加えることです．新たなことを付け加えることで，達人を超えることとなり「出藍の誉れ」の弟子が生まれるのです．

　芸能や学問などで「伝統と歴史」を重んじますが，ただ継承しているだけでは衰退してしまったことでしょう．新たな技術や考え方により伝統が守られてきたのだと思います．

　本書は，あくまでもスタートで，皆さんの研究基盤の1つです．新たなアイデアを付け加えてください．そのことにより，研究を楽しみながら行い，独創的な成果を生み，その成果をもってインパクトのある申請書を作成してください．絶えず研究も，申請書もブラッシュアップをしていただきたいと思います．

申請書 I

Before 基盤C

「承, 転」がない.
・これまでの業績を述べる.
・研究の着想を述べる.
・発展性を述べる.

研究目的（概要） ※当該研究計画の目的について、簡潔にまとめて記述してください。

[起]我が国は超高齢化社会を迎え、尿失禁や頻尿を来す過活動膀胱患者は900万人を数えているが、その病態は解明されておらず、有用な薬物療法も無く、治療法の確立は医学的・社会的に課題である。過活動膀胱は、潜在的な排尿筋過活動状態に起因するとの報告に基づき、平滑筋の収縮抑制目的で、電位依存性カルシウムチャンネル阻害剤やカリウムチャンネル開口薬が検討されるが、副作用のため臨床応用に至っていない。[結]本研究では、過活動膀胱の自動運動に関わるKit陽性細胞と幹細胞因子の観点から、過活動膀胱の病態の解明を目的とする。

（248文字）　文字数に余裕がある.

漢字が多い.
・ひらがなにする.
・漢字の間に助詞を入れる.

❶「起」が長い.
❷ 一般的な説明が多い.
❸ 一文が長い（各々97, 101文字）
   一文に1つのことを書くつもりで.
❹ 専門用語が多い.

After 基盤C

研究目的（概要） ※当該研究計画の目的について、簡潔にまとめて記述してください。

[起]消化管平滑筋の自動運動の発生は、カハール間質細胞と呼ばれる細胞群が担っていることが最近報告された。[承]私たちはその点に着目し、同じ平滑筋細胞からなる膀胱にも、消化管のカハール間質細胞に似た細胞があり、膀胱の自動運動に係わっていることを世界に先がけて発見した。次いで過活動膀胱では正常膀胱と比べ、Kit陽性細胞が増えることを見出した。
[転]本研究では、これらの成果を発展させ、尿路上皮から分泌されるKITのリガンドである幹細胞因子(Stem Cell Factor, SCF)の作用に着目し、[結]SCFを介したKIT陽性間質細胞の活性化による過活動膀胱の発症機序を解明する。さらに過活動膀胱の簡易的な診断法とKit受容体を標的とした分子標的治療薬の開発に向けた基礎研究を行ない、今後の臨床応用へと発展させたい。

（347文字）

研究の評価をアピールする表現（付録1 ➡ 158頁）.

改行すると言いたいことが強調される.

独創性を表現（付録1 ➡ 158頁）.

❶ つかみの一文が重要.
   自分たちの領域（申請者は泌尿器科医）以外のことを書く（第4章 ➡ 152頁）.
❷ そのことを逆説的に用いて、自分たちの研究成果の独創性を表現.
❸ 一文に1つのことを書いている.
❹ 研究成果をアピールする表現（付録1 ➡ 158頁）.
❺ 一文がやや長いが仕方がないか.
❻「承」から「転」に接続する有用な表現（付録1 ➡ 158頁）.
❼ 研究の発展性を示す．特に基礎研究の臨床応用が大切（第4章 ➡ 152頁, 付録1 ➡ 158頁）.

図3B-5　基盤研究（C）の申請書①
　申請者はすぐれた業績のある研究者．すでに若手研究は2回採択されているので、30歳台で基盤研究に申請するには勇気とさらなる精進がいる.

第3章　申請書の書き方

申請書Ⅱ

基盤 C

研 究 目 的（概要）※ 当該研究計画の目的について、簡潔にまとめて記述してください。

起前立腺肥大は、高齢社会が進むにつれて罹患率、患者数が増加し、社会的対策の必要性が望まれているが、現在の治療薬抗Androgen薬は前立腺の上皮細胞数は減少するものの、間質細胞数は影響を受けない。前立腺肥大の病理組織は間質成分が70%を占めるため、間質成分を標的とした治療薬の開発が熱望されている。新薬の開発のためには優れた病態モデルが必要だが、前立腺肥大の動物モデルは、ラットへのAndrogen負荷が汎用されてきたが、同モデルの前立腺の組織変化は上皮成分が占めており、ヒトの前立腺肥大の病理組織とかけ離れていた。結本研究では、ヒトの前立腺肥大の病理組織像を再現した動物モデルを作成し、間質主体の前立腺肥大の発生機序の解明をする。

（313 文字）

「起」が長い．

一文が長い（109 文字）．

漢字が多い．

「承」がないので研究成果が伝わらない．
「転」がないので着想が伝わらない．

❶ 一般的な事項が多い．
❷ 本研究の必要性を導くような「起」にする．
❸ 「結」では，将来性，発展性も述べる．

基盤 C

研 究 目 的（概要）※ 当該研究計画の目的について、簡潔にまとめて記述してください。

起前立腺肥大の発生機序の研究は、これまで有用なモデル動物がなく解明が困難であった。承近年私たちは、胎児「泌尿生殖洞」を成体ラットに移植することで、ヒトに類似した間質優位の前立腺肥大モデルを作成することに成功した。この結果をもとに、前立腺肥大の発生には「泌尿生殖洞」の因子が重要との考えのもと、胎生期に前立腺に発現する増殖因子『GDNF』が前立腺間質に発現していることを発見した。転本研究では、GDNFが癌原遺伝子RETを介して細胞増殖に関与することに着目し、結GDNF-RET経路を中心とした前立腺肥大発症の機序を解明する。さらに、後述の若手研究B（H21-22，H23-24）の成果をもとに、本研究の成果は、間質を標的とした前立腺肥大の治療薬の開発につながるものである。

（332 文字）

研究成果をアピールする表現．

研究の発展性を示す．特に基礎研究の臨床応用が大切．

❶ 一文を短くしてわかりやすくした．
❷ 略語は読みづらい．しかし先端的研究をアピールするときには，「　」やアンダーラインを用いる（第 4 章 ➡ 151 頁）．
❸ 略語（増殖因子や癌原遺伝子など）に説明語を用いるとわかりやすい（第 4 章 ➡ 151 頁）．
❹ 研究内容をアピールする表現（付録 1 ➡ 158 頁）．
❺ 申請者は 30 歳台．すでに当時若手 B を 2 回獲得しているので，基盤 C に申請した理由を説明したのだろう（キラリと輝く申請書 6 ➡ 027 頁）．

図 3B-6　**基盤研究（C）の申請書②**
　　　　「採択される 3 要素」のうち，業績とアイデアは，若手研究者としてはクリアしていることが，「概要」だけから推察される．

B　研究目的①　59

申請書 Ⅲ

 若手

研　究　目　的　（概要）※ 当該研究計画の目的について、簡潔にまとめて記述してください。

起浸潤性膀胱癌の標準的治療は尿路変更術を必要とし、患者のQOLを著しく低下させていることから、新たな膀胱温存治療の開発が急務となっている。承私たちは、新たな癌治療法の開発を目的に、磁性ナノ粒子(Magnetic cationic Liposome：MCL)を用いた癌病巣のみを特異的に加温できる新しい治療法を開発し(MCL Thermotherapy)、前立腺癌に対する治療効果と強い腫瘍免疫の誘導を報告してきた。一方、癌免疫治療の分子機構が明らかにされ、膀胱癌における免疫治療の感受性の高さが明らかにされている。結今回、MCL膀胱内注入療法と癌免疫治療の併用による、浸潤性膀胱癌に対する新たな膀胱温存治療法を開発することを目的とする。

(312文字)

❶❷❸❹❺❻❼ 位置マーク / 「転」がないので着想がみえない. / 全体に漢字が多い(例：癌→がん).

❶ 審査委員にとって当たり前のことを書かない.
❷ 一文が長い．一文は40文字以内を目ざす.
❸ 英語，略語はなるべく控える.
❹ 引きつけられる言葉だが，何回もくどい.
❺ タイトルと本文で用語を統一する.
❻ 平凡な接続詞.
❼ 悪くはないが，臨床に片寄っているのでパッとしない.

  若手

研　究　目　的　（概要）※ 当該研究計画の目的について、簡潔にまとめて記述してください。

起進行性膀胱がんに対する膀胱の温存治療が、社会的にも求められている。承私たちはこれまでに、磁性ナノ粒子(MCL)を用いた、がん病巣を特異的に温める治療法の開発に成功した(MCL温熱療法)。さらに、治療効果を調べるなかで、MCL温熱療法には強い腫瘍免疫効果があることを見いだした。転最近、膀胱がんには、他のがんに比べ腫瘍免疫効果が高いことが報告された。結本研究では、これらの点を踏まえ、MCL膀胱内注入療法にがん免疫治療を併用した、膀胱がんに対する温存治療法を開発することを目的とする。さらに、その治癒メカニズムを遺伝子レベルで解明したい。

(265文字)

「社会的」は強調する言葉.

❶ つかみの一文にしては一般的.
❷ アピールする表現（付録1 ➡ 158頁）．
❸ どうしても言いたい専門用語，略語はこのような方法で書くこともできる．
❹ これは「転」になっていない．
　重要なので表3C-4 ➡ 073頁 参照のこと．
❺ 文の接続に有用な表現（付録2 ➡ 159頁）．

図 3B-7　若手研究の申請書
　この申請書で採択されている．これまでの研究の独創性と本治療の必要性が理解されたからであろう．しかし，書き方としては，After の❶❹ならびに，十分にスペースを用いていない点(265文字)など改善すべき点が多い．

申請書IV

基盤 C

研究目的（概要） ※当該研究計画の目的について、簡潔にまとめて記述してください。

<起>尿路結石の生涯罹患率は増加しているが、有効な予防法や治療に係わる明確な指標（バイオマーカー）は未だ開発されていない。<承>私たちは、結石形成の初期段階で、腎尿細管細胞のミトコンドリアが傷害され、酸化ストレスや細胞傷害を介して結石が形成されることを発見した。また、傷害されたミトコンドリアが尿中に脱落し、その成分が結石の核となる機序を報告した。さらに、ミトコンドリア傷害の原因は、ミトコンドリアに存在する Cyclophilin D (Cyp D) の活性化であることも、近年発見した。<結>これらを踏まえ本研究では、1) Cyp D 活性化の選択的阻害剤を開発し、結石治療に向けた臨床応用と、2) 尿中 Cyp D の治療バイオマーカーの開発を目的とする。

（310 文字）

つかみの一文にしては，長い．

日常使う外来語はカタカナがよい．

「転」がない．「承」が立派なので採択されたのだろう．

❶ 一文の中に専門的事項を2つ書くと，理解しづらい．
❷ 「承」の比率が大きい．
❸ 「また」「さらに」の接続詞の使う順序は正しい．しかしこのような直列の接続詞を用いると全体として冗長になる．
❹ 英語はなるべく避けるが，このケースでは仕方がない．

基盤 C

研究目的（概要） ※当該研究計画の目的について、簡潔にまとめて記述してください。

<起>急増する尿路結石を予防するには、治療バイオマーカーの開発が求められる。<承>私たちはこれまでの一連の研究で、1) 尿路結石は、腎尿細管細胞のミトコンドリア傷害により発生する酸化ストレスにより形成されること、2) 傷害されたミトコンドリア成分が尿中へ脱落し、結石の核となること、3) ミトコンドリア傷害の原因は、ミトコンドリア膜にある Cyclophilin D (Cyp D) の活性化によることなどを発見した。これらの分子機構は、これまでの結石学の概念を変える発見として、国内外の学会から高く評価を受けた。
<結>本研究では、これらの成果の臨床応用に向けて、1) Cyp D 活性化の選択的阻害剤の開発、2) 尿中 Cyp D の治療バイオマーカーの開発を目的とする。

（312 文字）

つかみの一文として短くした．

基礎研究の臨床応用は大切．

❶ 申請者のすぐれた研究業績を強調する表現．
❷ 業績を箇条書きにすると読みやすくなった．かつ Before の「報告した」「発見した」などの同じ言葉を省略できる．
❸ 学会から評価されたことを述べる．
❹ 締めの言葉や強調したいときは，改行する．

図 3B-8　基盤研究（C）の申請書③

若い研究者だが，これまでの研究成果の「承」が多い．それらを書きたい気持ちはわかるが，「転」がない．本文では書かれているが，概要に「転」があればベター．

申請書 V

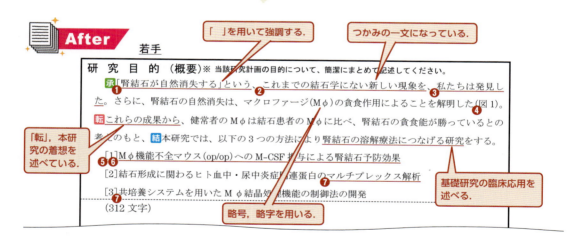

図 3B-9 若手研究の申請書
　若手研究者としては，「科研費が採択される3つの要素」をほぼクリアしている．

62　第3章　申請書の書き方

C 研究目的②
（学術的背景，研究動向，着想までの経緯など）

・Point・

Ⅰ 基本編

1) 「研究目的で審査評価は決まる」との思いで書く
   - 「科研費が採択される3要素」の「アイデア・業績・見栄え」のすべてが「研究目的」にはある．
   - 本書でも，スペースをとって詳しく説明をし，実例をできる限り示した．

2) 「研究目的」を書くコツと落とし穴
   - 研究目的は以下の4項目を書く．それぞれは，「概要」で強調した「起承転結」に相当する（図 3C-1）．

   ① 研究の学術的背景．
     ① -[1]　本研究に関連する国内外の動向および位置づけ．
     ① -[2]　これまでの研究成果を踏まえた着想．
   ② 研究期間内に何をどこまで明らかにするのか．
   ③ 本研究の学術的な特色・独創的な点，予想される結果，意義，将来性．

   - これら4つの項目ごとに「小見出し」を付け，読みやすくする．

Ⅱ 実践編

1) 学術的背景（① -[1]本研究に関連する国内外の動向および位置づけ）の書き方
   - この項は 起 に相当する．書くうえでのポイントは（表 3C-1，2，3）．
   ① 教科書あるいは総説のように，解説調で書かない．
     - 一般的なことを書きすぎない．
     - あなたの研究の必要性を導き出すように書く．
   ② 引用する参考文献に留意する．
     - 審査委員が退屈になる書き方（表 3C-3）の1つは参考文献の引用方法にある．
     - 論文のように，すべての文献の引用は不要．
     - あなた（方）の研究論文を引用し，あなたの研究の必然性を訴える（図 3C-7,9）．

2) 学術的背景（① -[2]これまでの研究成果を踏まえた着想）の書き方
   - この項は，承，転 に相当する．
   - 「これまでの研究成果」と「研究に至った着想，発展性」とに分けて書く．

① 「これまでの研究成果」の書き方；承に相当する．
- これまでの研究の「着想と独創性」を強調し，本研究の特色を印象づける．
- 研究成果に対する学術的・社会的評価を書く（受賞，特別講演，助成金など）．
- 研究成果が多い申請者では，㋐総合的に書く，㋑箇条書きにする，㋒図表にまとめる（図 3C-3）．
- 研究成果は重要だが，ほかの 3 項目との配分を考えダラダラ書かない．
- 予備実験の成果を書き，研究が進行中であることを示す．
- 若手研究者では，指導者や研究グループの業績を示すこともある．
- 業績がなければ，①挑戦的研究（萌芽），②研究活動スタート支援，に申請する．

② 「本研究をするに至った着想と研究の発展性」の書き方；転に相当する．
- 「着想や発展性」は，研究と同じように申請書において最も重要である．
- しかし，多くの申請書では「着想やアイデア」を魅力的に書けていない．
- 「着想やアイデア」は，日頃の地道な研究活動によって養われる．

③ 着想や独創性に乏しい「4 つの書き方」（表 3C-4）．
- ①追試型，②治験型，③「〜ない型」，④新物好き型．

3) 「研究期間内に何をどこまで明らかにするのか」の書き方
- この項は，結に相当する．
- 多岐にわたる研究内容は箇条書きにする．
- 箇条書きの前に，研究目的の要旨をもう一度，数行で説明する（図 3C-4）．
- 箇条書きの内容を，第 3 章「D. 研究計画（概要）」 ➡ 100 頁 に引用する（重要）．
- 「研究期間内にどこまで明らかにするのか」を図示するのもよい（図 3C-5）．

4) 「(1)本研究の学術的な特色・独創的な点，(2)予想される結果，(3)意義，将来性」の書き方
- この項は，結に相当する．
- この項を書くうえで，大切な 4 つのポイントは以下のとおり．

① すぐれた研究業績，アイデア，独創性は，謙虚深くも率直に書く．
- 審査項目 6 点のうち，A)学術的重要性・妥当性，B)独創性・革新性，C)波及効果・普遍性の 3 点を，あなたが表現できるのはこの項目だけ（付録 3 ➡ 160 頁）．

② (1)本研究の学術的な特色・独創的な点，(2)予想される結果，(3)意義，将来性は似ているが，パラグラフごとに書く．
- すべての項目を書く必要はない．

③ (1)本研究の学術的な特色・独創的な点，(2)予想される結果，(3)意義，将来性の言葉をそのまま用いて，問に答える形式で書く．
- 書き方の基本型は次の 2 つである ➡ 076 頁．
  ⓐ 3 つの項目をパラグラフの冒頭に用いるタイプ

ⓑ 3つの項目をパラグラフの最後に用いるタイプ
　④ 社会的にも意義があることを述べる．
　　・学術面だけでなく，社会的にも有用であることを示す．
　　・医学の申請書では，基礎研究を臨床応用することを書く．
　　・研究者として，社会的に貢献する心構えをもち続ける．

5）「研究目的」における文献の書き方（図 3C-7, 9）
　・文献の引用の仕方によって，あなたの申請書は大きくよみがえる．
　① すべての記述に引用文献はいらない．
　　・すべての文献を引用すると，あなたの研究内容が埋もれてしまうかも．
　　・あなたの論文を引用し，あなたの研究がすぐれていることを示す．
　② 文献を本文中にいれるか，文末にまとめるか．
　　・どちらを選ぶかで，文献の引き立ち度と申請書の読みやすさが違う．
　　・本文中に説明したので参考にする ➡ 078頁．
　③ その他
　　・論文だけでなく，国際学会の発表や招待講演などの実績を書く．
　　・最近では，マスコミ報道や特許などの産業財産権が評価される．
　　・現在進行中の研究成果を図表で示し，研究の実現性が高いことを示す．

6）「見栄え」をよくするために（第4章 ➡ 140頁）
　・「採択される3要素」の1つは「見栄え」である（第4章 ➡ 141頁）．
　・第4章「見栄えをよくするポイント」を参考にして書く．
　・審査委員に，「読みやすい」と感じてもらうことが採択への一歩である．
　① 見栄えをよくする具体的な方法（図 3C-8, 9, 10）
　　・上下左右のマージンを広げ，余裕をもたせる．
　　・行間をつめない．小見出しをつける．箇条書きにする．
　　・不要な内容や冗長な表現を削除し，行数を減らす．
　　・項目あるいは段落のあとにはスペースを設ける．
　　・段落をつける．
　　　・10行以上になると段落をつける．
　　　・主題が変われば段落をつける（パラグラフ・ライティング）（キラリと輝く申請書⑬ ➡ 069頁）．
　　・図表を用いる（図 4-2, 3, 4 ➡ 146〜147頁）．英語，専門用語，略語は少なくする．
　　　・図表は，1頁につき2つ以内にする．
　　　・オリジナルのものを用いる．
　　　・学会のスライドをそのまま用いない．
　　・漢字は文章全体の20〜30％以内にする．
　　・一文は40字以内を目ざす．

I 基本編

1 「研究目的で審査評価は決まる」との思いで書く

- 「研究目的（概要）」の書き方を熟知したあとで，本章に入ってください．
  本章で伝えたいことは，「研究目的（概要）」で強調したこととオーバーラップしているからです．それらは最も重要なので，整理を兼ねて7つのポイントをまとめました（表 3C-1）．

- 「科研費が採択される3要素」は①アイデア，②業績，③見栄えです．これらは重要なので，別項に詳しく書きました．もう一度読んでください（図 1-1，表 1-1，2 ➡ 004 頁）．

- 科研費の申請書で書く項目は，「基盤研究」，「若手研究」では10数項目からなります．そのなかで，「科研費が採択される3要素」のすべてにおいて重要なのは，「研究目的」だけです．ちなみに，「研究計画（概要）」では，①アイデア，②業績の2つです（表 1-1，2 ➡ 004 頁）．

- その意味からも，「研究目的で審査結果は決まる」との思いで書いてください．

表 3C-1　研究目的を書く7つのポイント

① 研究目的で審査評価は決まる，との思いで書く

② 審査委員に理解されるように，わかりやすく書く

③ あなたの研究は，学術的・社会的に役立っていることを書く

④ あなたの研究は，必要性があることを伝えるように，
　 研究の背景や動向を書く（起に相当）

⑤ あなたの研究は，必ず実現できることを確証させるように，
　 これまでの研究成果を書く（承に相当）

⑥ あなたの研究は，アイデア・独創性に富んでいることを書く（転に相当）

⑦ これらを踏まえて，研究目的（サブテーマ）を示し，
　 将来性や社会的意義にすぐれていることを書く（結に相当）

2 「研究目的」を書くコツと落とし穴

- まず初めに，科研費の申請書(頁1)の[研究目的を書くときの説明事項]（以下，「書くときの説明事項」）を見てください（図3C-1）．

- 研究目的は，❶，❷，❸の3つの項目からなります．説明事項がやや長いので，ここでは便宜上次のように要約します．
   ❶ 研究の学術的背景
   ❷ 研究期間内に何をどこまで明らかにするのか
   ❸ 本研究の学術的な特色・独創的な点・予想される結果，意義，将来性

- さらに「❶ 研究の学術的背景」は，
   ❶–[1] 本研究に関連する国内外の動向と位置づけ
   ❶–[2] これまでの研究成果を踏まえた着想，に分かれます．

- 「研究の学術的背景」は2つの項目からなることから，「研究目的」は4項目からなります．これら4項目は，「研究目的（概要）」で力を込めて説明した「起承転結」にそれぞれ相当するものです．

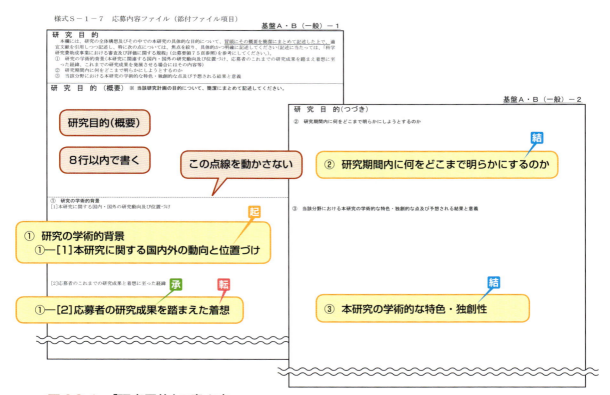

図 3C-1　「研究目的」の書き方
　　研究目的は2頁である．「概要」に続けて点線の下に4つの項目を書く．

II 実践編

1 「学術的背景（[1]本研究に関連する国内外の動向および位置づけ）」の書き方

- 本項は，研究目的の 起 に相当します．それを意識して書いてください．まず初めに書くうえでのポイントをまとめました（表 3C-2）．
  次に具体的に示します．

1）教科書あるいは総説のように，解説風に書き並べない

- あなたの研究に関する，国内外の動向は多岐にわたるでしょうが，それらのすべてを教科書のように書き並べてはいけません．あなたの研究を解説するのが目的ではありません．
- あなたの研究の必要性を導くように書きます．例えば，①あなたの研究は，国内外で社会的にも関心が集まっているとか，②同じ領域の研究者がすぐれた発見をした注目の研究分野であることがわかるように書きます．

2）一般的事項や専門的すぎることは書かない

- 若手研究者に多い傾向が，誰もが知っていることをダラダラ書くことです．一方，研究に没頭している研究者に多いのが，審査委員にも理解しづらい専門的すぎることを書き並べることです．

表 3C-2 学術的背景（[1]本研究に関する国内外の動向と位置づけ）書く3つのポイント

① あなたの研究の必要性をアピールする
② あなたの研究の学術的ならびに社会的な重要性を伝える
③ あなたの研究でしか，問題の解決はできない必然性を訴える

表 3C-3 学術的背景（[1]本研究に関する国内外の動向と位置づけ）審査委員にとって退屈な書き方

① あなたの研究に関する「総説」あるいは「教科書」かと思うような解説風で書くこと
② 若手研究者に多い傾向だが，一般的な事項をダラダラ書くこと
③ 熱心な研究者に多い傾向だが，専門的すぎることを書き並べること
④ 引用する文献が適切でなく，かつ多すぎるために読みづらくなること

- これらの研究者に共通しているのは，研究をまじめに行い，よく勉強していることです．しかし培った知識をすべて書くのではなく，ポイントを簡潔に書くのです．これらは，審査委員にとって退屈な書き方の典型です(表 3C-3)．

3）引用する参考文献に留意する

- 審査委員にとって退屈な書き方(表 3C-3)になるもう1つの原因は，引用する参考文献が不適切な場合です．論文のように，説明するすべての事項に引用文献は要りません．冗長になります．

- <u>あなた(方)自身の研究論文を引用</u>することにより，あなたの研究の必然性を訴えます．今回の研究計画は，それらの実績と経験のうえに行うことがわかるように書きます．そのことにより今回の研究計画の実現性が高いと評価されることでしょう．

- さらに審査委員に，あなたの研究は，その領域においてトップランナーの研究だと思ってもらえれば最高です．

- 参考文献の引用の仕方は，実例のところで詳しく説明しています．

キラリと輝く申請書 13　パラグラフ・ライティングの書き方とは？　→ 105頁

文章は，章・節・項・段落・文から構成され，段落はパラグラフと訳されます．

「パラグラフ・ライティング」をご存じでしょうか．本書では，短い文章を書く基本は「起承転結」であることを強調しましたが，もう1つの書き方「パラグラフ・ライティング」を紹介します．

この2つの違いは，「起承転結」は筋を通しながら話を進め，結論を最後にもってくるのに対し，パラグラフ・ライティングは，言いたいことを最初に書くことです．この2つを使い分けることで，変化に富んだ深みのある文章ができると思います．

パラグラフ・ライティングの書き方のポイントは，パラグラフは次の3つからなることです．

1）まず<u>「トピック・センテンス」</u>

「主題文」ともいわれ，冒頭に言いたいことや重要なことを示します．これは論旨を明確にするためで，できれば1つの論旨にとどめます．

2）最後には<u>「コンクルージョン」</u>

文字通り，パラグラフの結論で，トピック・センテンスと対比するように書くのがコツです．もちろん一致した内容にします．

3）この2つの間にあるのが<u>「サポーティング・センテンス」</u>

「説明文」「支持文」などといわれ，トピック・センテンスを説明するもので，したがって数に制限はありません．

日本人の文章や話し方は，結論を最後にもってきます．謙虚な性格からでしょう．一方，パラグラフ・ライティングは，結論を最初に述べ，いかにも外国産であることがわかります．<u>審査委員は，「研究目的の概略」はじっくり読まれても，「研究計画」になると専門的なので要点を読むことが多いと思います．一部の「研究目的」も同じです．</u>そこで審査委員の理解を深めるためには，言いたいこと，例えば，研究の特色，独創的な発想などを最初に書くのです．「起承転結」に加えてパラグラフ・ライティングを身につけてください．

2 「学術的背景（[2]これまでの研究成果を踏まえた着想）」の書き方

- 本項は，研究目的の 承，転 に相当します．
- 本項の書き方の基本型は，
    1) まず初めに，あなたの「これまでの研究成果」を書き，
    2) それを踏まえ，「本研究をするに至った着想と研究の発展性」へと展開します．
    次に，1），2）を具体的に示します．

1）「これまでの研究成果」の書き方（承 に相当）（図 3C-8，9）

- あなたのこれまでの研究は，着想や独創性が豊かであったことを強調します．そのことにより，「今回の研究計画もオリジナリティがあり素晴らしい」との印象を与えることができれば最高です．
- これまでの研究成果が学術的あるいは社会的に評価されていれば，それらを書きます．例えば受賞，特別講演，論文，大型助成金，特許などです．

a）研究成果が多岐にわたる研究者へのアドバイス

- 基盤研究 (A，B) に申請する研究者は，これまでの研究成果は多いはずです．しかしそれらを書くスペースが限られているので，研究成果を個別に書くことはできません．そこで，次の3つの方法を勧めます．

    ① 研究成果をまとめて総合的に書く
    ② 研究成果の要旨を数点の箇条書きにする
    ③ 1つの図表にまとめる

- 研究成果が多岐にわたり複雑になるときは，できる限り一見してわかるように図表を作ってください（図 3C-2）．
- 複数にわたる研究成果は，「小見出し」をつけると読みやすく，「見栄え」もよくなります．その際のポイントは箇条書きのコツを参考にしてください（第4章 ➡144頁）．「小見出し」なので当然ですが，体言止めにするとしまりがでます．「小見出し」のあとには数行の説明文を書きます．
- あなたの研究成果を示すことは重要ですが，［研究目的］で書くスペースはわずか2頁です．ほかの3つの項目との配分を考えると，ダラダラ書きすぎないことが大切です．研究成果を書く目的は，あくまでも次の 転 である「本研究の着想に至った経緯やこれまでの研究成果を発展させる」ことを導くためのものです．

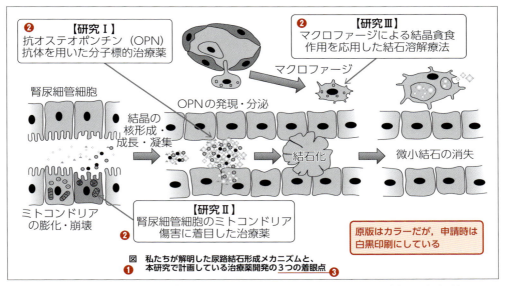

図 3C-2　これまでの成果が多岐にわたるときに図示する実例〔基盤研究（A）〕
❶ タイトルをつける．
❷ 3つの研究計画からなることを一見して示している．
❸ 業績，着想，発展性をすべて含んでいる．

b）研究業績が少ない若手研究者への2つのアドバイス

① まだ論文になっていない研究成果は，予備実験の成果や学会発表の内容を書く

- このことにより，あなたの研究はすでにスタートしていることを示します．審査委員からみると，「論文リストは少ないが，この研究者はよくやっている．将来性がある」と思うかもしれません．

- 未発表の内容については，投稿している雑誌の掲載条件を調べ，研究者としての倫理を守ってください．さらに特許を取得する場合には注意してください．

- 審査委員の理解を深めるために図表を用いると有効です．その際，図表の説明文には，「投稿中」，あるいは「○○学会発表」などを付けます（図 3C-3）．そのほかの図表を書くポイントは別に示しています（第4章 ➡ 145頁）．

② 若手研究者では，指導者や研究グループの業績を示す

- 若手研究者では研究業績がまだ少ないものです．そのようなときに指導者や研究グループの業績を示します．もちろんそれらの業績は，あなたの研究計画と関係があるべきであることは言うまでもありません．

- このことからもわかるように，研究で重要なことは，①すぐれた指導者，②すぐれた共同研究者をもつことです．これは第1章「研究の楽しさ，美しさ」➡ 011頁，キラリと輝く申請書2 ➡ 014頁で詳しく，私の考えを書きました．

基盤C（一般）-2

研究目的（つづき）
これまでの研究成果を発展させる場合にはその内容等

　ホルモン療法抵抗性前立腺癌には抗がん剤治療が用いられている．しかし，薬剤が細胞内に効率よく分布せず，治療効果が乏しい．Cx43によるGap junction (GJ) は，低分子物質を交通させることで隣接細胞とコミュニケーションを維持することにより，生体の恒常性を保持するのに重要な役割を担っている．この機序を応用すると，ホルモン療法抵抗性前立腺癌でGJが担う細胞間輸送機構が回復すれば，❶薬剤が細胞内に分布しやすくなる可能性がある．私たちはこれまでに，❷最近開発した動物モデルを用いた解析で，ホルモン療法抵抗性前立腺癌において，Cx43の発現低下を認めることを世界で初めて確認した❸（右図）．
❹　❺これらの成果を踏まえ本研究では，Cx43を中心とした細胞間輸送機構に着目し，ホルモン療法抵抗性前立腺癌の増殖・進展メカニズムの解析を行い，❻新たな治療法の開発への足掛かり❼とする．

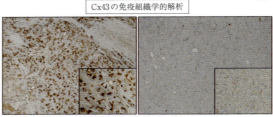

Cx43の免疫組織学的解析

Cx43はホルモン療法抵抗性前立腺癌で発現低下を見出した．
左：通常の前立腺癌　　右：ホルモン療法抵抗性前立腺癌
❹（投稿中）

図 3C-3　予備実験または未発表のデータを図表で示す

図表の例示だけでなく，本文には，「研究目的：これまでの研究成果を踏まえた着想」の書き方のポイントも示した．皆さんにとっては異領域の申請書ですが，一読してください．付録1の「申請書を引き立てる表現」➡158頁 を用いた．

❶ 着想を示す．
❷ 業績や独創性を示す．
❸ 業績と特色を示す．
❹ これらのことを書く．
❺ 発展性を魅力的な接続詞で示す．
❻ 独創性を示す．
❼ 発展性を示す．

- どうしても何の業績もなければ，残念ですが，科研費に限っていえば，①挑戦的研究（萌芽），②若手では研究活動スタート支援に申請してください．
- そして，今から来年度までに業績を積み重ねてください．

2)「本研究をするに至った着想と研究の発展性」の書き方（転 に相当）

- 「着想や発展性」は研究と同じように，申請書において最も重要です．しかし，ほとんどの申請書では，適切な「着想や独創性」は書かれていません．
- 実際それらの研究には，着想がないのかも知れません．少し寂しい思いもします．私は，「着想や独創性は日頃の研究を地道にすることにより養われる」との思いを，若手研究者に伝えています（キラリと輝く申請書14 ➡094頁）．
- とはいえ，申請書が採択されるには，「着想や独創性」を書かなければなりません．私は，そのような研究者には次のようにアドバイスをしています．
- 今行っている研究で，行き詰まっていること，疑問点，やり残したことなどを「着想」にすることです．

- しかし，このアドバイスは今回限りのものにしてください．次回申請するときまでには，日頃の地道な研究において独創力や発想力を高め，審査委員にインパクトを与える申請書を書いてください．

- ところで，皆さんが，「着想や独創性」のつもりで書かれているもののなかには，適切ではないものがあります．私は，これらを「4つの型」に分類しています（表3C-4）．

- これら4つの型にみられる共通した欠点は，オリジナルの視点がないことです．この種の研究に，血税を使うことに疑問が生じます．

表3C-4　着想や独創性に乏しいあるいは適切でない「4つの型」

①追試型
　Aは，前立腺腫瘍の原因は○○であることを発見した．
　Bは，乳癌の原因も○○であると報告した．
　そこで私たちは，腎臓癌の原因も○○だろうと考え研究をする．

②治験型
　Cは，腎臓結石の治療薬として××を開発した．
　そこで私たちは，××を腎臓結石の患者に用いて，××の効果とその作用機序を調べる．

③〜ない型
　腎臓結石の形成機序において△△の作用はまだよくわかっていない．
　そこで本研究では，△△がかかわる腎臓結石の形成機序を明らかにする．

④新物好き型
　近年，細胞内の動きを観察できる□□が開発された．本学にいち早く□□が導入された．そこで，本研究では，それを用いた研究をする．

- この4つの型のなかで，特に多いのは③「〜ない型」です．この型には，ほかにも，「これまでに報告がない」「まだ行われていない」などがあります．確かに，まだわかっていないから，それを解明するために研究をするのですが，「着想や独創性」では，なぜその研究をするのかを書くことです．

3 「研究期間内に何をどこまで明らかにするのか」の書き方

- 本項は，研究目的の 結 に相当します．

- 若手研究者と熟達した研究者とで書き方は若干異なります．若手研究者では，行う研究計画が少ないので，具体的に書きます．しかし，「研究手法」については，第3章 D「研究計画・方法」 ➡ 096頁 で詳しく書くので，ここでは簡単でよいでしょう．

- 一方，熟達した研究者では，研究目的（サブテーマ）は多岐にわたることだと思います．そこで，サブテーマを箇条書きにすると審査委員が理解しやすくなります．

- 箇条書きにする場合，その前に数行で，研究目的の概要を説明します．このことにより，箇条書きの唐突感が和らぐうえに，審査委員は，あなたの研究を再び確認することにより，理解を深めることになるでしょう（図 3C-4）．

- 「明らかにしたい研究計画」を箇条書きにするメリットは，審査委員が理解しやすくなることだけではありません．第3章 D「研究計画・方法」 ➡ 096頁 には，研究計画と方法を簡潔にまとめることが指示されています．

基盤C（一般）-2

研究目的（つづき）

　本研究の最終目標は、結石形成バイオマーカーの確立と結石治療薬の開発である。私たちは、❷これまでの研究において、マウスやラットを用いて、切断型 ❺OPN 抗体は腎結石の予防効果があることを明らかにした。その成果を踏まえ本研究では、以下の ❸ つの方法で研究を進める。
❸ Ⅰ．結石形成のバイオマーカーの確立：
❶❹ 腎組織、尿中における切断型 OPN を定量化し、OPN が結石患者特有の結石形成の指標（バイオマ❸ーカー）になりえるかを検討する。
❸ Ⅱ．サルを用いた OPN 抗体の毒性の検討：
❶❹ ヒトと遺伝子背景が類似しているサルに対して、抗 OPN 抗体を投与し、血液生化学的検査・組織検査などによりヒトへの投与にむけた毒性実験を行う。
❸ Ⅲ．抗 OPN 抗体を用いた分子標的治療薬の開発：
❶❹ 腎結石をもつサルを作成し、抗 OPN 抗体を投与し、結石形成抑制効果と至適用量の判定、尿中バイオマーカーの変化を調べる。

図 3C-4　研究期間内に何をどこまで明らかにしようとするのかの実例〔基盤研究（C）〕
この内容を「研究計画・方法の概要」に用いた（図 3D-2-1 ➡ 102頁）．

❶ ポイントは，箇条書きにして，それを「研究計画」の概要に用いることである ➡ 100頁．
❷ 2，3行で，研究目的の概要を説明した．
❸ サブタイトルの内容を説明した．
❹ 小見出しをゴシック体にした．
❺ 文中の OPN（オステオポンチン）の略語はすでに本文中で説明している．

研究項目 （サブテーマ）	担当者	平成○○年度	平成△△年度	平成□□年度
1. ××の機序の解明				
（1）細胞実験	名市大 太郎	←――→		
（2）病理研究	名市大 二郎	←→	←→	←→
（3）遺伝子探索	名市大 洋子	←――→		
2. ☆☆予防薬の開発				
（1）動物実験	名市大 花子	←―――――→		
（2）安全性	名市大 三郎		←―――――――→	
3. 社会への発信		■■研究会発表	■■国際学会発表	論文投稿
4. 研究の進捗状態のチェック		毎週報告会	毎月発表会	ワークショップ開催

図 3C-5　研究計画の示し方
この種の図表は，計画や担当者が多岐にわたるときに用いるとわかりやすくなる．一方，若手研究（1人で行う）はもちろんのこと，簡単なケースでは本文中に文章で説明することで十分である．

- そこで，ここで箇条書きにした「研究目的」をほぼそのまま引用します．この方法により，審査委員は，あなたの研究内容を再確認することとなり，さらに理解することができます．その実例として，図 3C-4 を示します．

- 「研究期間内にどこまで明らかにするのか」について，第3章 D「研究計画・方法」では，年度ごとに研究計画を書くことが求められています．そこで，計画が多岐にわたるときには，図示するとわかりやすくなります（図 3C-5）．

- ただし，「研究目的」には書くべき内容が多いので，この図を載せるスペースがありません．そこでこの図は，「研究計画・方法」で示すようにしてください．研究ですから，計画通りに進むとは限りませんが，その実現に向かって頑張ってください．

4 「①本研究の学術的な特色・独創的な点，②予想される結果，③意義，将来性」の書き方

本項目は 3 つのことを書きます．これらを書くうえで，4 つの大切なポイントがあります．

1) 謙虚深くも率直に，あなたの研究のすぐれた点を書く

- 私たち日本人は，自分自身をアピールすることに控えめです．自己主張をしすぎる人をきらう傾向があります．したがって，わが国の申請書なので，過度な自己アピールは控えるべきです．しかし研究業績，アイデア，独創性などのすぐれた点は，謙虚深くも率直に書くのがよいと思います（キラリと輝く申請書⑭ ➡ 094 頁）．

- 本項目を書くうえで重要なので，「審査方法」をもう一度見直してください（付録3 ➡ 160 頁）．審査項目は 6 点からなり，それらをもとに総合評点されます．審査項目 6 点の中でも特に重要なのは，(1) 学術的重要性・妥当性，(2) 独創性・革新性，(3) 波及効果・普遍性，の 3 点です．

- これら 3 点を，あなた自身が直接表現できるのは，申請書のなかではこの項目だけです．それだけに，謙虚深くも自信をもってアピールすることが大切なのです．

2) ①，②，③の 3 つの項目をパラグラフごとに書く

- これら 3 つの項目は似たような内容ですが，3 つを項目ごとに書きます．

  > ① 特色，独創性
  > ② 予想される結果
  > ③ 意義（学術的，社会的），将来性，発展性

- これらすべての内容を書く必要はありません．すべてを書くときには，これら 3 つの項目を区別して，パラグラフごとに書くと印象深い申請書になります．

3) 3 つの項目の言葉をそのまま用いて，問いに答える形で書く

- 書き方の基本型は以下の 2 つです．

  > ① 本研究の特色は……
  > ② ……が本研究の特色である．
  >   あるいは，
  > ① 本研究成果がもたらす意義は，学術面では……
  > ② ……が，本研究成果によりもたらされる学術的意義である．

- すなわち，3 つの項目の言葉を，①の書き方では，パラグラフの冒頭に述べ，②では，パラグラフの最後に述べています．私は，①の書き方を好んで用いています．

- どちらのタイプにおいても大切なことは，「①特色，独創性，②予想される結果，③意義（学術的，社会的），将来性，発展性」の文字を，申請書の指示に答える形でしっかり書くことです．目に訴えてこそ印象が強まります．

- そのためにも，これらの文字を，アンダーラインまたはゴシック体にすると読みやすくなります（図3C-6）．ただし，全体のバランスを考えて多用しないでください．

- この書き方に加えて，3つの項目をサブタイトルにし，「小見出し」を付けて書く方法もよいでしょう．

4）学術面だけでなく，社会的にも意義があることを述べる

- 「将来性や発展性」については，あなたの研究が学術面だけでなく，社会的にも役立つことの説明が重要です．例えば，医学の申請書では，基礎研究がいかに臨床応用されるかを書きます．

- 科研費は，血税を用いた研究です．研究者として社会に貢献する姿勢は生涯もち続けたいものです．

基盤A・B（一般）－2

研 究 目 的（つづき）
② 当該分野における本研究の学術的な特色・独創的な点および予想される結果と意義

1）本研究の学術的な特色・独創的な点 ❶❷❸
　本研究の特色は、ゲノム全体を対象とするため、単一の遺伝子機能解析では得られなかった変化を明らかにできる点である。本研究では、複数の症例に共通したゲノムDNA領域を絞り込むため、個々の遺伝子のみならず、組織特異的なプロモーターやエンハンサー領域を同定することが可能である。❺

2）本研究から予想される結果
　本研究により、外性器形成にかかわるため、アンドロゲンの転写制御カスケードにおける新たな知見が挙げられる。アンドロゲンは胎生期の器官発生期のみならず、二次性徴における外性器発育、さらには成人期においても骨・筋など様々な臓器に働きかけることが知られている。尿道下裂をきっかけとした本研究の成果から、アンドロゲンの標的臓器への作用メカニズムがさらに詳細に明らかとなれば、❻他疾患への応用・発展も可能となるであろう。❺

3）本研究の学術的・社会的意義
　外性器形成障害だけでなく、原発性性腺機能低下症に対するテストステロン補充療法や、造精機能障害などの疾患について新規診断・治療法の開発が可能となる。このことは少子化の進むわが国において意義が大きい。❼❼

図 3C-6　本研究の特色・独創性・意義の書き方の実例〔基盤研究（B）〕
ここでの書き方のポイントは，問われたことに答える形で，3つの項目ごとに箇条書きにし，小見出しをつけて，強調することである．

❶ 3つの項目ごとにした．　　❹ 答える形で書いた．　　❼ 社会的意義に触れた．
❷ 小見出しをつけた．　　　　❺ 特色を書いた．
❸ ゴシック体にした．　　　　❻ 発展性を書いた．

5 「研究目的」に書く4つの項目の配分比率

- 第3章B「研究目的①（概要）」で，申請書の基本型となる書き方を説明しました（表3B-1 ➡ 048頁）．そこでも触れたことですが，書くスペースを書く前から意識しすぎてはいけません．まず言いたいことをすべて書いてみます．そのあとに，限られたスペースと相談して不要なところを順次削ると，深みのある申請書になります．

- その際4つの項目の配分をある程度考えておくことは必要です．

- 「研究目的」は2頁，70数行からなります．文字数にして2,500〜3,000文字ですが，図表が入り，小見出しや箇条書きにすると，2,000文字ぐらいになると考えてください．

- これら4つの項目の配分は，「研究目的（概要）」と同じように，若手研究者と熟達者とで異なります（図3B-3 ➡ 052頁）．

- 若手研究者ではまだ十分な業績はなく，研究内容も限られているので，これら4つの項目はほぼ均等にするのがよいでしょう．一方，熟達者では，研究業績や研究計画の内容が多いことから，「国内外の研究動向」を書くスペースは少なくなると思います．

6 「研究目的」における文献の書き方

- 研究目的と研究計画には，「適宜文献を引用しつつ記述し，…」と指示がされています．文献の引用の仕方によって，あなたの申請書は大きく変わるので，重要なポイントになります．

1）すべての記述に引用文献はいらない

- あなたの研究を引き立てるために，文献を引用します．文献を引用しすぎると，あなたの研究が埋もれてしまう心配があります．あなた（方）の論文を引用することにより，本研究は，これまでの研究成果のうえに計画したすぐれたものであることを示してください．

2）本文中にいれるか，まとめて文末に入れるか

a）本文中にいれるとよいケース

①文献が少ないとき
②あなたのすぐれた研究業績を紹介したいとき

b) 文末に入れるとよいケース

①余白が出たとき

②あなた(方)の文献が多いとき
- 1か所に集めると目立ちやすいために
- 本文の流れを乱さないために

③あなたの文献には，著者にアンダーラインをつける

- これらのことを考え，実例では a)と b)の中間型を書いてみました(図 3C-7, 9).

3) その他の留意点

- 論文だけでなく，国際学会の発表や招待講演などを書いてください．最近では，学術誌や学会だけでなく，マスコミ報道や特許をはじめとした産業財産権などが重要になっています．あれば書くとよいでしょう．

- 図表にも，文献の名前をつけることはすでに話しました．特にあなたのオリジナルの図表で，まだ論文になっていないが研究が進行中のものには「投稿中」などを付けてください．研究の実現性が高まります(図 3C-3).

- 高名な研究者の業績を引用することを好む人がいます．確かに最先端の研究の一端をあなたが研究していることが推察されます．ただし高名な名前に押しつぶされないようにしてください．

基盤 A・B（一般）－ 1

研 究 目 的（つづき）

① 研究の学術的背景

[1] 本研究に関する国内・国外の研究動向及び位置づけ

―中略―

　私たちは、外性器・内性器の先天異常について診療を行う一方、病態生理について基礎研究を進めてきた。すなわち、尿道下裂の新たな術式や治療アルゴリズムの開発を行うとともに、病態解明にむけて精力的な研究を進めている(参考文献 1、2)。さらに、性分化にかかわる因子のヒトにおける発現変化(文献 3)、始原生殖細胞の発生機序(文献 4)、精巣組織の分化・成熟機構(文献 5)、精子形成メカニズム(文献 6)、などのテーマについても基礎的研究を行ってきた。❶

図 3C-7　引用文献の書き方の実例〔基盤研究（B）〕

❶ 申請者たちの研究論文を引用して実例を示した．
文献が多くなるので，本文中には雑誌名や著者名などは書かず，「研究目的」の末尾にまとめて書いている(図 3C-9 ➡ 088 頁は，これと同じ申請書).

7　「見栄え」をよくするために

- 「科研費が採択される3要素」の1つは「見栄え」です ➡ **141頁**．
- 審査委員に一見して，「読みやすそう．すっきりしてきれい」と感じてもらうことは採択への第一歩です．2つの実例を示しながら説明します．いずれも **Hop**，**Step**，**Jump** の3つのステップで示しています．1つの実例はそれぞれ2ページからなっているので，3つのステップを注意して比べてください．
- より詳しくは，第4章「見栄えをよくするポイント」を参考にしてください ➡ **140頁**．

1) 見栄えが悪い例の改善（その1）（図3C-8-1，2）

- **Hop** の欠点は，余裕のスペースがないことです．**Step** では内容は変えずに，図で説明したいくつかの方法で，余裕のスペースをもたせ読みやすくしました．

2) 見栄えが悪い例の改善（その2）（図3C-9-1，2）

- **Hop** は，文字が詰まっていて読みづらいです．**Step** では図を加え，余白をもたせ，箇条書きにするなどにより改善しました．

3) よくできている実例（図3C-8-3，3C-9-3）

- **Jump** は完成版．アンダーラインを入れ，余白を用いて予備実験のデータの図を挿入し，文献を文末に集めてすっきりした申請書になっています．カラーなので，事前に白黒印刷をして判読できるか調べておきます．

4) 見栄えをよくする具体的な方法

a) 左右上下のマージンを広げる（図3C-8，9）

- 特に，左マージンは最低1文字，できれば2文字の余白をとります．余裕をとると読みやすくなります．本書でも，左のスペースを大切にしています．

b) 行間あるいは文字間隔をつめない（図3C-8，9）

- 一見して読みづらいと感じる申請書は行間や文字間が狭いです．最近では，パソコン機能が向上し，行間を自由に変えることができるようになりました．それが逆に弊害となって，書きたいことを詰めこむケースがみられます．
- 行間が狭いときは，不要な内容や冗長な表現を削除してください．

c) 項目あるいは段落の後には，余裕のスペースを設ける（図3C-8，9）

- しかし，1行単位でスペースを設けると広くなりすぎます．また，ここで大切なことは，スペースの間隔は申請書全体で統一することです．

d) 小見出しをつける (図 3C-8, 9)
- 小見出しは，①文章が長くなったとき，②要旨としてまとめたいとき，③複数の内容であるとき，④アクセントを付けたいとき，に用います．
- 小見出しは 1 行以内とし，ゴシック体あるいはアンダーラインを付け「見栄え」をよくします．

e) 箇条書きにする (図 3C-8, 9)
- 箇条書きのタイトルは 1 行以内とします．その長さをほぼ同じにすると，「見栄え」がさらによくなります．その下に 1〜3 行の説明をつけると，研究内容が理解されやすくなります．
- 項目にゴシック体またはアンダーラインを用います．

f) 段落をつける (図 3C-8, 9)
- 文章が長くなるときは段落をつけます．私は，10 行以上になると，文脈が切れるところで段落をつけるようにしています．「見栄え」がよくなるだけでなく，内容が論理的になります．
- ただし，ここで言う段落とは，私たちが一般的に言うものです．パラグラフ・ライティングについては，別に説明します (キラリと輝く申請書 13 ➡ 069 頁)．

g) 図表を用いる (図 3C-8, 9)
- 図表の効用は，①見栄えをよくする，②研究内容の理解度を高める，③余白を有効利用する，ことです．
- 図表は，わかりやすくインパクトのあるものをオリジナルで作成します．あなたの研究領域で一般的な図表を用いると冗長になります (図 3C-10 ➡ 095 頁)．
- 図表は，1 頁に 1 つ，多くても 2 つ以内にします．多くなると，本文の内容が乏しくなるので「水増し」をしているように思われます．
- 予備実験や未発表データであることを示すと，研究が進行中であることがわかります．タイトル，1〜2 行の説明文を書き，印刷中ならば雑誌名，あるいは投稿中の記述を付けます (図 3C-3, 10 ➡ 072, 095 頁)．
- 審査委員には白黒印刷で届くので，提出前に白黒印刷をして判読できる図表かを確かめます．特に，線の太さ，文字の大きさ，字体に留意します．字体は原則ゴシック体にします．
- 学会発表や論文で用いた図表は複雑なことが多いので，簡潔にまとめて，新たに作図します．その熱意が採択につながるでしょう．

h) 英語，専門用語，略語は少なくする
- これらの言葉は，審査委員にとってなじみが薄いので，あなたの申請書をわかり

(94 頁につづく)

Hop 実例1（1頁目）

様式S-1-13　応募内容ファイル（添付ファイル項目）

若手－1

研究目的
　本欄には、研究の全体構想及びその中での本研究の具体的な目的について、冒頭にその概要を簡潔にまとめて記述した上で、適宜文献を引用しつつ記述し、特に次の点については、焦点を絞り、具体的かつ明確に記述してください（記述に当たっては、「科学研究費助成事業における審査及び評価に関する規程」（公募要領70頁参照）を参考にしてください。）。
　① 研究の学術的背景（本研究に関連する国内・国外の研究動向及び位置づけ、応募者のこれまでの研究成果を踏まえ着想に至った経緯、これまでの研究成果を発展させる場合にはその内容等）
　② 研究期間内に何をどこまで明らかにしようとするのか
　③ 当該分野における本研究の学術的な特色・独創的な点及び予想される結果と意義

研究目的（概要） ※当該研究計画の目的について、簡潔にまとめて記述してください。

❶ 超高齢化社会への移行に伴い前立腺肥大症の患者数は増加の一途を辿り、排尿障害が腎機能やQOLに及ぼす影響が問題となっており、前立腺肥大症の薬物治療はα1ブロッカーによる前立腺の弛緩と、5α還元酵素阻害剤による腺腫の縮小が主であるが、効果は十分では無く、前立腺肥大の発症予防法や新規治療薬の開発が期待されている。❸ 近年、組織過形成に炎症の関与が報告され、私達はその機序に着目し、前立腺肥大発症に慢性炎症の関与を推察した。その結果、炎症性サイトカインIL-18が前立腺平滑筋に作用し、TSP-1の発現を増加させ、前立腺の間質過形成を誘導する作用機序を近年発見した。これを発展させ、炎症が前立腺肥大症の誘導機序を解明し、間質をターゲットとした新規治療薬の開発を本研究の目的とした。

> 文字が多い，余裕の余白，段落，アクセントがないので読みづらい．

Ｉ．研究の学術的背景

❹ まず初めに、国内外における研究動向および位置づけを述べる。高齢人口の増加に伴い、前立腺肥大の発症率が増加している。QOLに及ぼす影響が問題となっているが、その発症機序は未だ解明されておらず、明確な予防法もなく対症的治療が中心となっているのが現状である。現在、前立腺肥大症に対する内服治療は、α1ブロッカーと5α還元酵素阻害剤が用いられているが、これらはアンドロゲン作用を低下させることで、前立腺組織の上皮細胞数を減少させるが、間質細胞数に影響は与えないことが判っている。前立腺肥大症の病理組織は間質成分が70％を占めるため、間質成分を標的とした新しい治療薬の開発が求められている。過去の研究の多くが、アンドロゲン投与による腺上皮優位のモデルラットを用いているが、これはヒトの病態を正確に反映するとは言い難い。私たちが開発した新しい間質優位の前立腺肥大症モデルラットを用いることで、その発症機序の解明に近づけると考えている。

　次に、これまでの研究成果と着想に至った経緯を述べる。

❹ 一つ目は、前立腺肥大症モデルラットでのIL-18発現の増加である。私達は、これまでにヒト前立腺肥大症と同様の組織学的特徴をもつ、新しい前立腺肥大症モデルラットを開発した。前立腺肥大症モデルラットを用い、前立腺肥大部では炎症性サイトカインIL-18の発現が著明に増加していることを近年、共同研究にて確認した。

　二つ目は、IL-18が前立腺組織に及ぼす影響である。IL-18は多彩な生理活性を有する炎症性サイトカインの一つであることが報告された。私達はこの報告に着目し、モデルラットと、ヒトの前立腺組織におけるIL-18の作用を検討したところ、前立腺肥大症の腺上皮からIL-18が分泌され、IL-18受容体の存在する平滑筋細胞に作用を及ぼすこと、さらにIL-18の作用により、前立腺平滑筋細胞からAktのリン酸化を介してTSP-1が産生されることを共同研究により解明した 2)。またIL-18が前立腺間質細胞から細胞接着因子であるFibronectin(FN)の産生を誘導することも見出した。

　三つ目は、前立腺におけるTSP-1、FNの発現である。TSP-1は多機能糖タンパクで、修復組織などに存在する細胞外マトリックス（ECM）の構成成分である。血小板凝集、細胞の粘着・遊走・増殖・分化・血管新生などに作用することが判っている。またTGF-βとの結合を介してその活性の調節にも関与していることが知られている。前立腺肥大症においてその発現が増強し、前立腺癌では発現が消失することが報告されている。FNは糖タンパクで線維芽細胞から分泌されるECMの構成成分で、創傷治癒やリモデリング、細胞接着に関与する。TGF-βの刺激により前立腺間質細胞からの分泌が増加すると言われている。

　これらの報告をもとに、私たちはIL-18を介したTSP-1の産生、TGF-βの活性化、FNによるリモデリングといった一連の流れによって、前立腺間質肥大の発症が誘導される可能性を推察し、❸ 本研究において解明したいと考える。

> 図を入れる．
> ・文字が多い
> ・小見出しをつける
> ・強調文字を用いる

図3C-8-1　実例1（1頁目），校正前（若手研究）

❶「概要」の「起」が半分近くを占めている．特色や発展性をしっかり書くこと．
❷ 一文が長く，漢字が多いので読みづらい．
❸ 着想は引きつけられる．
❹ 文字が多い．サブタイトルあるいは小見出しがないので読みづらい．

Hop 実例1（2頁目）

若手－2

研 究 目 的（つづき）

Ⅱ．研究期間内に何をどこまで明らかにしようとするのか

前立腺肥大の発症メカニズムを解明するために、TSP-1、FN が前立腺に及ぼす影響を検証する。

前立腺組織における TSP-1、FN の発現を本研究テーマ1とする。モデルラット、ヒト前立腺組織を用いて、正常部と前立腺肥大部における TSP-1、FN の発現差を定量 RT-PCR、ウエスタンブロッティング、免疫染色にて観察する。

ヒト正常前立腺培養細胞に対する TSP-1、FN の直接的作用を本研究テーマ2とする。ヒト正常前立腺培養細胞に、TSP-1、FN を投与することで、ヒト前立腺細胞での細胞内シグナル伝達経路の変動、細胞増殖能に及ぼす影響を検討する。

ヒト正常前立腺培養細胞に対する TGF-β の活性化による TSP-1 の間接的作用を本研究テーマ3とする。ヒト正常前立腺培養細胞に対して、TSP-1 を投与し、TGF-β の発現、活性化を ELISA 法、ルシフェラーゼアッセイを用いて検討する。

一見して判るように工夫する．

モデルラットへの TSP-1、FN の投与による前立腺肥大症の発症を本研究テーマ4とする。モデルラットへ TSP-1、FN を投与、あるいは抗 TSP-1 抗体、抗 FN 抗体を投与することで、前立腺肥大の発症の促進、抑制が生じるかを検討する。in vivo における直接的な作用を検討する。

ヒト前立腺肥大症患者での TSP-1、FN の発現と組織学的差異の検討を本研究テーマ5とする。細胞外マトリックスの構成成分である TSP-1、FN の発現によって、前立腺組織での間質、腺上皮の比率に差異があるのかを検討する。また、TSP-1、FN の発現と症状の変化、治療効果、尿流動態との間に相関があるのかどうかを統計学的に検討する。

Ⅲ．当該分野における本研究の学術的な特色・独創的な点および予想される結果と意義

まず初めに、本研究の特色について述べる。私達の研究では、ヒト前立腺培養細胞を用いるだけでなく、ヒトの前立腺肥大症組織の特徴である腺性過形成、間質過形成を反映した、間質優位型の前立腺肥大症モデルラットを用いる。これによって、よりヒトの前立腺肥大症の病態に近づいた状態で実験を行うことができる。

次に、本研究の独創的な点について述べる。IL-18 は炎症だけでなく、細胞増殖能に関わるといわれており、IL-18 によって誘導される細胞内シグナル伝達経路の活性化が、細胞増殖をもたらすと報告されている。私たちは前立腺肥大の発症にも同様の機序が関与するのではと考え、前立腺における IL-18 の役割と細胞内シグナル伝達経路の関与を明らかにした。

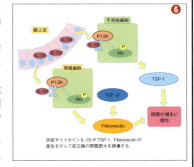

TSP-1 による細胞増殖能亢進という直接的な作用と、TGF-β の活性化と FN の誘導によるリモデリングという間接的な作用の、2 つの側面から炎症を介した前立腺肥大の発症メカニズムを検討する点が独創的であると考えている。

さらに、予想される結果と意義について述べる。前立腺細胞において IL-18 の投与で、細胞内シグナル伝達経路の活性化がおき、それに伴って TSP-1 の産生が増加する。多様な作用を有する TSP-1 の直接的な細胞増殖能の亢進、あるいは TGF-β、FN を介した間接的な間質増生の誘導が引き起こされることを予想している。前立腺肥大症に対しての IL-18、TSP-1、FN の関与が解明されれば、これまで明らかにされていなかった前立腺肥大の発症機序の解明に大きな前進をもたらすであろうと考える。これらの経路が前立腺肥大症発症の新たなキーファクターと理解されれば、これまでの薬物療法や手術療法とは異なる、新たな治療戦略をもたらしうると考えている。

〈参考文献〉(1) Yama et al. New histopathological experimental model for BPH: stromal hyperplasia in rats. J Urol, 2009.
(2) Hamakawa et al. Interleukin-18 may lead to benign prostatic hyperplasia via thrombospondin-1 production in prostatic smooth muscle cells. Prostate, 2014.

図 3C-8-1（つづき）　実例1（2頁目），校正前（若手研究）

❺ 略語や専門用語が多い．
❻ 図はきれい．しかし白黒印刷にすると読みづらい（図 4-2, 3, 4 ➡146頁）．
❼ 参考文献が冗長．タイトルを除くか，字形を工夫する（図 3F-1 ➡121頁）．

Step 実例1（1頁目）

様式S-1-13 応募内容ファイル（添付ファイル項目）　　　　　　　　　　　　　　　　　　若手-1

> **研 究 目 的**
> 本欄には，研究の全体構想及びその中での本研究の具体的な目的について，冒頭にその概要を簡潔にまとめて記述した上で，適宜文献を引用しつつ記述し，特に次の点については，焦点を絞り，具体的かつ明確に記述してください（記述に当たっては，「科学研究費助成事業における審査及び評価に関する規程」（公募要領70頁参照）を参考にしてください。）。
> ① 研究の学術的背景（本研究に関連する国内・国外の研究動向及び位置づけ，応募者のこれまでの研究成果を踏まえ着想に至った経緯，これまでの研究成果を発展させる場合にはその内容等）
> ② 研究期間内に何をどこまで明らかにしようとするのか
> ③ 当該分野における本研究の学術的な特色・独創的な点及び予想される結果と意義

❶ **研 究 目 的**（概要）※当該研究計画の目的について，簡潔にまとめて記述してください。

　超高齢化社会への移行に伴い前立腺肥大症の患者数は増加の一途をたどり，排尿障害が腎機能やQOLに及ぼす影響が問題となっている。前立腺肥大症の薬物治療はα1ブロッカーによる前立腺の弛緩と，5α還元酵素阻害剤による腺腫の縮小が主であるが，効果は十分ではなく，前立腺肥大の発症予防法や新たな治療薬の開発が期待されている。近年，組織の過形成に炎症の関与が報告されている。私たちはその機序に着目し，前立腺肥大発症に慢性炎症が関与することを推察した。その結果，炎症性サイトカインIL-18が前立腺平滑筋に作用し，TSP-1の発現を増加させ，前立腺の間質過形成を誘導することを発見した。これを発展させ，炎症が前立腺肥大症を誘導する機序を解明し，間質をターゲットとした新規治療薬を開発することを本研究の目的とした。

I. 研究の学術的背景

❷ (1) 国内外における研究動向および位置づけ

　高齢人口の増加に伴い，前立腺肥大の発症率が増加している。QOLに及ぼす影響が問題となっているが，その発症機序は未だ解明されておらず，明確な予防法もなく対症的治療が中心となっているのが現状である。現在，前立腺肥大症に対する内服治療は，α1ブロッカーと5α還元酵素阻害剤が用いられている。これらはアンドロゲンの作用を低下させることで，前立腺の上皮細胞数を減少させるが，間質細胞数に影響は与えない。前立腺肥大症の病理組織は間質成分が70％を占めるため，間質成分を標的とした新しい治療薬の開発が求められている。過去の研究の多くが，アンドロゲン投与による腺上皮優位のモデルラットを用いているが，これはヒトの病態を正確に反映するとは言い難い。私たちが開発した新しい間質優位な前立腺肥大症モデルラット[1]を用いることで，その発症機序の解明に近づけると考えている。

(2) これまでの研究成果と着想に至った経緯

❺ 文字が小さい．

❹ 1) 前立腺肥大症モデルラットでのIL-18発現の増加

　私たちは，ヒト前立腺肥大症と同様の組織学的特徴をもつ，新しい前立腺肥大症モデルラットを開発した。このモデルラットを用い，前立腺肥大部では炎症性サイトカインIL-18の発現が増加していることを明らかにした。

❹ 2) IL-18が前立腺組織に及ぼす影響

　IL-18は多彩な生理活性を有する炎症性サイトカインである。私たちはこれに着目し，モデルラット，ヒトの前立腺組織における作用を検討したところ，前立腺肥大症の腺上皮からIL-18が分泌され，IL-18受容体の存在する平滑筋細胞に作用を及ぼすこと，IL-18の作用により，前立腺平滑筋細胞からAktのリン酸化を介してTSP-1が産生されることを解明した 2)。またIL-18が前立腺間質細胞からFibronectin（FN）の産生を誘導することも見いだした（右図）。

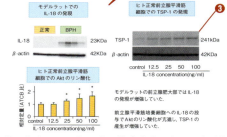

❹ 3) 前立腺におけるTSP-1, FNの発現

　TSP-1は多機能糖タンパクで，修復組織などに存在する細胞外マトリックス（ECM）の構成成分であることがわかっている。血小板凝集，細胞の粘着・遊走・増殖・分化・血管新生などに作用する。またTGF-βとの結合を介してその活性の調節にも関与していることが知られている。前立腺肥大症においてその発現が増強し，前立腺癌では発現が消失することが報告されている。FNは糖タンパクで線維芽細胞から分泌されるECMの構成成分で，創傷治癒やリモデリング，細胞接着に関与する。TGF-βの刺激により前立腺間質細胞からの分泌が増加すると言われている。

　1)2)3)のことから，IL-18を介したTSP-1の産生，TGF-βの活性化，FNによるリモデリングといった一連の流れによって，前立腺間質肥大の発症が誘導される可能性を推察した。

図 3C-8-2 実例1（1頁目），校正1回目（図 3C-8-1 を改変）

❶「概要」はまだ修正していない．**Jump**で修正している．
❷ 本文にサブタイトル，アンダーラインを付けた．
❸ これまでの研究成果の図表を加えた．しかし図の文字が多いので読みづらい．投稿中であることを書くこと．
❹「研究成果と着想」を内容によって3つに分けた．それぞれに小見出しを付けた．
❺ 強調する箇所にアンダーラインを付けた．

Step 実例1（2頁目）

若手-2

研究目的（つづき）

Ⅱ．研究期間内に何をどこまで明らかにしようとするのか

前立腺肥大の発症メカニズムを解明するために，TSP-1，FNが前立腺に及ぼす影響を検証する。

❻ ① **前立腺組織におけるTSP-1，FNの発現**

モデルラット，ヒト前立腺組織を用いて，正常部と前立腺肥大部におけるTSP-1，FNの発現差を定量RT-PCR，ウエスタンブロッティング，免疫染色にて観察する。

② **ヒト正常前立腺培養細胞に対するTSP-1，FNの直接的作用**

ヒト正常前立腺培養細胞に，TSP-1，FNを投与することで，ヒト前立腺細胞での細胞内シグナル伝達経路の変動，細胞増殖能へ及ぼす影響を検討する。

③ **ヒト正常前立腺培養細胞に対するTGF-βの活性化によるTSP-1の間接的作用**

ヒト正常前立腺培養細胞に対して，TSP-1を投与し，TGF-βの発現，活性化をELISA法，ルシフェラーゼアッセイを用いて検討する。

④ **モデルラットへのTSP-1，FNの投与による前立腺肥大症の発症**

モデルラットへTSP-1，FNを投与，あるいは抗TSP-1抗体，抗FN抗体を投与することで，前立腺肥大の発症の促進，抑制が生じるかを検討する。in vivoにおける直接的な作用を検討する。

⑤ **ヒト前立腺肥大症患者でのTSP-1，FNの発現と組織学的差異の検討**

細胞外マトリックスの構成成分であるTSP-1，FNの発現によって，前立腺組織での間質，腺上皮の比率に差異があるのかを検討する。また，TSP-1，FNの発現と症状の変化，治療効果，尿流動態との間に相関があるのかどうかを統計学的に検討する。

> 若手研究にしては，研究計画（サブタイトル）が5つは多いのではないか．

Ⅲ．当該分野における本研究の学術的な特色・独創的な点および予想される結果と意義

❼ *1. 本研究の特色*

私たちの研究では，ヒト前立腺培養細胞を用いるだけでなく，ヒトの前立腺肥大症組織の特徴である腺性過形成，間質過形成を反映した，間質優位型の前立腺肥大症モデルラットを用いる。これによって，よりヒトの前立腺肥大症の病態に近づいた状態で実験を行うことができる。

❼ *2. 本研究の独創的な点*

IL-18は炎症だけでなく，細胞増殖能に関わるといわれており，IL-18によって誘導される細胞内シグナル伝達経路の活性化が，細胞増殖をもたらすと報告されている。私たちは前立腺肥大の発症にも同様の機序が関与するのではと考え，前立腺におけるIL-18の役割と細胞内シグナル伝達経路の関与を明らかにした。

TSP-1による細胞増殖能亢進という直接的な作用と，TGF-βの活性化とFNの誘導によるリモデリングという間接的な作用の，2つの側面から炎症を介した前立腺肥大の発症メカニズムを検討する点が独創的であると考えている（右図）。

> 説明を加える．

炎症サイトカインIL-18がTSP-1, Fibronectinの産生を介して前立腺の間質肥大を誘導する．

❼ *3. 予想される結果と意義*

> サブタイトルの字体を統一する．

前立腺細胞においてIL-18の投与で，細胞内シグナル伝達経路の活性化がおき，それに伴ってTSP-1の産生が増加する。多様な作用を有するTSP-1の直接的な細胞増殖能の亢進，あるいはTGF-β，FNを介した間接的な間質増生の誘導が引き起こされることを予想している。前立腺肥大症に対してのIL-18，TSP-1，FNの関与が解明されれば，これまで明らかにされていなかった前立腺肥大の発症機序の解明に大きな前進をもたらすであろうと考える。これらの経路が前立腺肥大症発症の新たなキーファクターと理解されれば，これまでの薬物療法や手術療法とは異なる，新たな治療戦略をもたらしうると考えている。

【参考文献】(1) Yama et al. New histopathological experimental model for BPH: stromal hyperplasia in rats. J Urol, 2009.
(2) Hamakawa et al. Interleukin-18 may lead to benign prostatic hyperplasia via thrombospondin-1 production in prostatic smooth muscle cells. Prostate, 2014.

図 3C-8-2（つづき） 実例1（2頁目），校正1回目（図3C-8-1を改変）

❻ 箇条書きにした．サブタイトルをゴシック体にし，一点破線を加えた．しかし完成版に比べると見づらい．

❼「研究の特色など」も3つに分け，小見出しを付けた．こちらは実線なので見やすい．

Jump　実例1（1頁目）

様式S－1－13　応募内容ファイル（添付ファイル項目）

若手－1

研究目的

本欄には，研究の全体構想及びその中での本研究の具体的な目的について，冒頭にその概要を簡潔にまとめて記述した上で，適宜文献を引用しつつ記述し，特に次の点については，焦点を絞り，具体的かつ明確に記述してください（記述に当たっては，「科学研究費助成事業における審査及び評価に関する規程」（公募要領70頁参照）を参考にしてください。）。
① 研究の学術的背景（本研究に関連する国内・国外の研究動向及び位置づけ，応募者のこれまでの研究成果を踏まえ着想に至った経緯，これまでの研究成果を発展させる場合にはその内容等）
② 研究期間内に何をどこまで明らかにしようとするのか
③ 当該分野における本研究の学術的な特色・独創的な点及び予想される結果と意義

❶ **研　究　目　的（概要）**※当該研究計画の目的について，簡潔にまとめて記述してください。

前立腺肥大の患者は増加の一途をたどり，排尿障害によるQOLの低下が社会問題になっている。前立腺肥大の治療薬は多いが効果は十分ではなく，新たな治療薬の開発が望まれている。私たちは，<u>他臓器の過形成に炎症がかかわっていることに着目し</u>，前立腺肥大にも慢性炎症がかかわるものと推察し，❷炎症性サイトカインIL-18が前立腺の平滑筋細胞に作用していることを見いだした。さらに，IL-18が，細胞マトリックスの成分であるTSP-1の発現を増加させ，<u>前立腺の間質過形成を誘導する機序を発見した</u>。本研究ではこの成果を発展させ，IL-18とTSP-1がかかわる炎症による前立腺肥大を誘導する機序を解明し，間質をターゲットとした前立腺肥大の新規治療薬を開発することにより，❹<u>超高齢社会のニーズに応えたい</u>。

Ⅰ．研究の学術的背景

(1) 国内外における研究動向および位置づけ

> 不要なところを削除して，スッキリさせた．

高齢人口の増加に伴い，前立腺肥大の発症率が増加している。QOLにおよぼすことが問題となっているが，その発症機序はいまだ解明されていない。現在，前立腺肥大症に対する内服治療は，α1ブロッカーと5α還元酵素阻害剤が用いられている。これらはアンドロゲンの作用を低下させることで，前立腺の<u>上皮細胞の数を減らすことが主たる作用機序</u>で，間質細胞には作用しない。一方，前立腺肥大は間質成分が70％を占めるため，<u>間質成分をターゲットとした新しい治療薬の開発が求められている</u>。

❺ これまでの前立腺肥大の研究では，アンドロゲン投与による腺上皮優位のモデル動物が用いられていた。しかし，ヒトの病態を反映するとは言いがたい。そこで，<u>私たちは最近，間質優位なヒトに近い前立腺肥大ラットモデルの開発に成功した</u>❸（文献1）。

❷**(2) これまでの研究成果と着想に至った経緯**

> 図3C-8-2のサブタイトルをゴシック体にして，インパクトをつけた．

❸**1) 前立腺肥大症モデルラットでのIL-18発現の増加**

私たちは，上記のように最近開発したヒト前立腺肥大モデルラットを用い，前立腺肥大の組織では炎症性サイトカインIL-18の発現が増加していることを明らかにした（下図）。

2) IL-18が前立腺組織に及ぼす影響

IL-18は多彩な生理活性を有する炎症性サイトカインである。私たちはこの点に着目し，モデルラットならびにヒトの前立腺組織を用い，前立腺肥大の腺上皮から多くのIL-18が分泌され，前立腺の平滑筋細胞からAktのリン酸化を介してTSP-1が産生されることを解明した（下図）。さらにIL-18が前立腺間質細胞からFibronectin(FN)の産生を誘導することも見いだした（文献2）。

3) 前立腺におけるTSP-1，FNの発現

TSP-1は多機能糖タンパクで，修復組織などに存在する細胞外マトリックス(ECM)の構成成分の1つである。TGF-βとの結合を介して，その活性の調節にも関与していることが知られている（文献3）。前立腺肥大においてはその発現が増強し，前立腺癌では発現が消失することが報告されている（文献4, 5）。

> 不要なところを削減した．

<u>以上のことから，前立腺の間質肥大の発症は，❷IL-18を介したTSP-1の産生，TGF-βの活性化，FNによるリモデリングという一連の流れにより誘導されるものと推察した</u>❷。

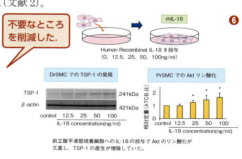
❻ 前立腺平滑筋培養細胞へのIL-18の投与でAktのリン酸化が亢進し，TSP-1の産生が増強していた．

図3C-8-3　実例1（1頁目），完成版（図3C-8-2を改変）

❶ 起承転結のバランスに留意した．「起」を少なくした．また専門用語を少なくし，読みやすいように努めた．
❷ 研究の着想をしっかり書いた．
❸ これまでの業績も書かれている．
❹ 社会への還元も書かれている．
❺ 段落を付け，読みやすくした．
❻ 図を変えた．**Step**よりも見やすくなったが，内容が多いのでまだ見づらい．

Jump　実例1（2頁目）

若手-2

研　究　目　的（つづき）
Ⅱ．研究期間内に何をどこまで明らかにしようとするのか
　前立腺肥大の発症メカニズムを解明するために，TSP-1，FNが前立腺に及ぼす影響を，次の5つの研究により調べる。

❼―① <u>**前立腺組織におけるTSP-1，FNの発現**</u>　　　　　　　　　　［簡単な説明文をつける．］
　モデルラット，ヒト前立腺組織を用いて，正常部と前立腺肥大部におけるTSP-1，FNの発現差を定量RT-PCR，ウエスタンブロッティング，免疫染色にて観察する。　　［これらの要旨を研究計画に用いる．］
② <u>**ヒト正常前立腺培養細胞に対するTSP-1，FNの直接的作用**</u>
　ヒト正常前立腺培養細胞に，TSP-1，FNを投与することで，ヒト前立腺細胞での細胞内シグナル伝達経路の変動，細胞増殖能へ及ぼす影響を検討する。
③ <u>**ヒト正常前立腺培養細胞に対するTGF-βの活性化によるTSP-1の間接的作用**</u>
　ヒト正常前立腺培養細胞に対して，TSP-1を投与し，TGF-βの発現，活性化をELISA法，ルシフェラーゼアッセイを用いて検討する。
④ <u>**モデルラットへのTSP-1，FNの投与による前立腺肥大症の発症**</u>
　モデルラットへTSP-1，FNを投与，あるいは抗TSP-1抗体，抗FN抗体を投与することで，前立腺肥大の発症の促進，抑制が生じるかを検討する。in vivoにおける直接的な作用を検討する。
⑤ <u>**ヒト前立腺肥大症患者でのTSP-1，FNの発現と組織学的差異の検討**</u>
　細胞外マトリックスのTSP-1，FNの発現によって，前立腺組織での間質，腺上皮の比率に差異があるのかを調べる。また，TSP-1，FNの発現と治療効果，尿流動態との間の相関を統計学的に調べる（文献6）。

❽
Ⅲ．当該分野における本研究の学術的な特色・独創的な点および予想される結果と意義
❼ **1．本研究の特色**　❽
　私たちの研究では，ヒト前立腺培養細胞を用いるだけでなく，ヒトの前立腺肥大症組織の特徴である腺性過形成，間質過形成を反映した，間質優位型の前立腺肥大症モデルラットを用いる。これによって，よりヒトの前立腺肥大症の病態に近づいた状態で実験を行う。

❼ **2．本研究の独創的な点**　❽
　IL-18によって誘導される細胞内シグナル伝達経路の活性化が，細胞増殖をもたらすと報告されている。私たちは前立腺肥大の発症にも同様の機序が関与するのではと考え，前立腺におけるIL-18の役割と細胞内シグナル伝達経路の関与を明らかにした（**下図**）。
　TSP-1による細胞増殖能亢進という直接的な作用と，TGF-βの活性化とFNの誘導によるリモデリングという間接的な作用の，2つの側面から炎症を介した前立腺肥大の発症メカニズムを検討する点が独創的である。

❼ **3．予想される結果と意義**　❽
　前立腺細胞においてIL-18の投与で，細胞内シグナル伝達経路の活性化がおき，それに伴ってTSP-1の産生が増加する。多様な作用を有するTSP-1の直接的な細胞増殖能の亢進，あるいはTGF-β，FNを介した間接的な間質増生の誘導が引き起こされることを予想している。前立腺肥大症に対してのIL-18，TSP-1，FNの関与が解明されれば，これまで明らかにされていなかった前立腺肥大の発症機序の解明に大きな前進をもたらすであろうと考える。これらの経路が前立腺肥大症発症の新たなキーファクターと理解されれば，これまでの薬物療法や手術療法とは異なる，新たな治療戦略をもたらしうると考えている。

【参考文献】
(1) <u>Yama</u> et al. J Urol, 2009.　　(4) <u>Litto</u> et al. Urology, 2015.
(2) <u>Hamakawa</u> et al. Prostate, 2014.　　(5) <u>Kato</u> et al. Science, 2003.
(3) <u>Vallbo</u> et al. BJU Int, 2004.　　(6) <u>Hamakawa</u> et al. 特許申請中

炎症サイトカインIL-18がTSP-1, Fibronectinの産生を介して前立腺の間質肥大を誘導する．

図 3C-8-3（つづき）　実例1（2頁目），完成版（図 3C-8-2 を改変）
❼ サブタイトルをゴシック体にし，アンダーラインをつけた．
❽ 段落に一定の間隔を空け，余裕のスペースを作った．

［参考文献は，著者の名前と雑誌名のみにした．余白を少なくするために文献を追加した．］

C　研究目的②

Hop 実例2（1頁目）

様式S－1－7　応募内容ファイル（添付ファイル項目）

基盤A・B（一般）－1

研 究 目 的

本欄には、研究の全体構想及びその中での本研究の具体的な目的について、冒頭にその概要を簡潔にまとめて記述した上で、適宜文献を引用しつつ記述し、特に次の点については、焦点を絞り、具体的かつ明確に記述してください。（記述に当たっては、「科学研究費補助金（基盤研究等）における審査及び評価に関する規程」（公募要領62頁参照）を参考にしてください。）
① 研究の学術的背景（本研究に関連する国内・国外の研究動向及び位置づけ、応募者のこれまでの研究成果を踏まえ着想に至った経緯、これまでの研究成果を発展させる場合にはその内容等）
② 研究期間内に何をどこまで明らかにしようとするのか
③ 当該分野における本研究の学術的な特色・独創的な点及び予想される結果と意義

研 究 目 的（概要） ※当該研究計画の目的について、簡潔にまとめて記述してください。

❶ 同じ個体の中で、いくつかの遺伝子は決まった組織にのみ発現し、その組織を特徴づけている。近年、精巣特異的プロモーター領域の存在が報告され、組織発生における重要性が注目されている。一方、外性器形成においても同様の発現制御機構が存在すると考えられるが、いまだ解明されていない。❷ これまで私たちは、性分化疾患を対象として、精巣発生にかかわるプロモーター領域の解析を進めてきた。❸ 本研究では、これまでの研究手法をさらに発展させ、外性器形成障害の代表疾患である尿道下裂を対象にゲノムワイド解析を行う。これにより遺伝子およびプロモーター領域の両面から外性器形成メカニズムを包括的に解明することを目的とする。❹ 本研究により、外性器形成障害に対する新たな診断・治療法の開発へ臨床的応用をめざしたい。

① 研究の学術的背景

❺ [1] 本研究に関する国内・国外の研究動向及び位置づけ

外性器の形成には、複数の遺伝子が関与しており、ノックアウト動物を用いた機能解析が進められている。しかしながら、実際の外性器異常症例において、こうした遺伝子変異が認められるのは一部に過ぎず、大多数の症例では原因不明である。一方、最近になって精巣特異的に働くプロモーター領域が存在し、同一の遺伝子であっても組織によって異なる発現制御を受けることが報告された。そのため、従来のように遺伝子機能のみを解析するのではなく、その発現制御機構を明らかにすることが重要な課題となっている。また、個々の症例におけるばらつきを説明する上で、疾患発生に特異的なSNP解析が行われるなど、ゲノムDNAを対象とした解析は非常に重要となってきている。

外性器形成障害の代表疾患である尿道下裂の原因遺伝子として、(1) アンドロゲンおよび関連遺伝子群（*SRD5A2*, *MAMLD1*）、(2) エストロゲンおよび関連遺伝子群（*ESR1/2*, *ATF3*）、(3) *FGF*, *BMP*, *HOX*, *WNT* などホルモン非依存性遺伝子群、が同定されている。しかしながら、外性器形成に特異的なプロモーター領域については、いまだ明らかにされていない。

> 文字が多い。
> 専門用語が多いので、漢字や略語が多くならないように留意する。

[2] 応募者のこれまでの研究成果と着想に至った経緯

❻ 私たちは、外性器・内性器の先天異常について診療を行う一方、病態生理について基礎研究を進めてきた。すなわち、尿道下裂の新たな術式や治療アルゴリズムの開発を行うとともに、病態解明にむけて精力的な研究を進めている（参考文献1、2）。さらに、性分化に関わる因子のヒトにおける発現変化(3)、始原生殖細胞の発生機序(4)、精巣組織の分化・成熟機構(5)、精子形成メカニズム(6)、などのテーマについても基礎的研究を行ってきた。

近年の分子生物学の発展により、古典的なセントラルドグマで説明のつかない遺伝子発現調節機構が次々と発見されている。これには、DNAメチル化やヒストンタンパク質修飾といったエピジェネティックな遺伝子発現調節や、わずか20塩基ほどのsmall RNAによるmicro RNA発現調節機構が挙げられる。また、疾患の発症しやすさ・薬剤に対する応答性といった、これまで「体質」として片付けられてきた個体差が、遺伝子多型やDNAコピー数の違いというゲノムの差異という観点から説明されようとしている。こうした背景には、ヒトゲノムプロジェクト・国際HapMapプロジェクトといった大規模データベースの構築や、コンピュータ処理能力の向上、次世代シーケンサーの登場といった技術的な進歩が挙げられる。

現在私たちは、精巣の発生過程を解明するため、遺伝子そのものに加え、プロモーター領域の解析をゲノム全体

図3C-9-1　実例2（1頁目），校正前〔基盤研究（B）〕

❶ 概要は，起承転結の「起」が長い．これまでの業績や，研究の発想を書くスペースがなくなっている．

❷ 研究の着想やアイデアが書かれていない．

❸ 研究の内容は，多彩で，先端的．その表現方法もわかりやすい．

❹ 研究成果の社会への還元を示した（次頁にも）．

❺ 「研究の動向」は，「起」に相当する．「研究目的」全体の比率から言えばこれが限界．これ以上になると，審査委員は読みづらい．

❻ 申請者の業績を整理して，十分に説明している．ただ分量が多いので，一気には読みづらい．

基盤A・B（一般）－2

研究目的（つづき）

にわたって行っている。その結果、X染色体上の特定領域に精巣発生に関わるプロモーター領域を同定することができた（投稿準備中）。このようなゲノムワイド解析手法は、個々に遺伝子機能解析を行う手法に比べ効率的であり、遺伝子コード領域以外の情報も得ることが可能である。

こうした研究手法をさらに発展させ、外性器障害の代表的疾患である尿道下裂についても、ゲノムDNA全体を解析することによって、疾患特異的な変化を捉え、遺伝子だけでなくプロモーター領域を含めた、外性器形成メカニズムを包括的に解明することができるのでは、という着想に至った。

② 研究期間内に何をどこまで明らかにしようとするのか

尿道下裂は、外尿道口の位置（右図：矢印）によって軽度な症例から重度の症例まで様々な形態を呈する。

本研究では、陰嚢型・会陰型と呼ばれる重度の症例における全ゲノムの構造について、(1)CGH arrayを用いた解析を行う。得られたデータと、正常男性データとの比較を行い、尿道下裂に特有のゲノム構造を探索する。この結果をもとに、(2)候補遺伝子における発現・機能解析、および(3)遺伝子発現調節領域におけるプロモーター／エンハンサー解析、を併行して進めていく。尿道下裂モデル動物や、外性器の器官培養系を用いて、遺伝子発現制御の検証を行い、外性器形成メカニズムを包括的に明らかにしていきたい。

さらに、外性器形成にはアンドロゲンが必須であるため、アンドロゲンによる転写制御カスケードとの関連性についても解析を行う。

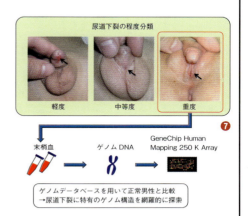

③ 当該分野における本研究の学術的な特色・独創的な点及び予想される結果と意義

本研究の学術的な特色・独創的な点として、ゲノム全体を対象とするため、単一の遺伝子機能解析では得られなかった変化を明らかにできる点が挙げられる。本研究では、複数の症例に共通したゲノムDNA領域を絞り込むため、個々の遺伝子のみならず、組織特異的なプロモーターやエンハンサー領域を同定することが可能である。

本研究から予想される結果として、外性器形成にはアンドロゲンが必須であるため、アンドロゲンの転写制御カスケードにおける新たな知見が挙げられる。アンドロゲンは胎児期の器官発生期のみならず、二次性徴における外性器発育、さらには成人期においても骨・筋など様々な臓器に働きかけることが知られている。尿道下裂をきっかけとした本研究の成果から、アンドロゲンの標的臓器への作用メカニズムがさらに詳細に明らかとなれば、他疾患への応用・発展も可能となるであろう。外性器形成障害だけでなく、原発性性腺機能低下症に対するテストステロン補充療法や、造精機能障害などの疾患について新規診断・治療法の開発へ臨床的応用を目ざしたい。

【参考文献】
1. Hayashi Y, Ohshima Y et al. *Urology*. 2010.
2. Shirokawa S, Hayashi Y et al. *BJU Int*. 2011.
3. Nomizu K, Hayashi Y, et al. *Urology*, 2010.
4. Nomizu K, Hayashi Y, et al. *Mol Reprod Dev*., 2006.
5. Ohshima Y, Nomizu K, Hayashi Y et al. *Urology*., 2009.
6. Nomizu K, Ohshima Y, Hayashi Y et al. *Urology*., 2011.

図3C-9-1（つづき） 実例2（2頁目），校正前〔基盤研究（B）〕

❼ 研究計画を図示している．イメージとしてはわかりやすい．カラーだが白黒印刷でも判読できることを確認すること．

❽ 研究計画を，3つに整理して示している．ただ，一見して理解できない．読みづらい．

❾「本研究の特色など」を2つに分けて説明している．内容はよい．強調箇所をアンダーラインで示しているが，文字が多いので読みにくい．

❿ 参考文献；記載方法の1つ．業績が多いので，自分たちのものだけになっている．2段に分けてすっきりさせた．

 実例2（1頁目）

様式S－1－7　応募内容ファイル（添付ファイル項目）

基盤　A・B（一般）－1

研　究　目　的
本欄には，研究の全体構想及びその中での本研究の具体的な目的について，冒頭にその概要を簡潔にまとめて記述した上で，適宜文献を引用しつつ記述し，特に次の点については，焦点を絞り，具体的かつ明確に記述してください。（記述に当たっては，「科学研究費補助金（基盤研究等）における審査及び評価に関する規程」（公募要領62頁参照）を参考にしてください。）
① 研究の学術的背景（本研究に関連する国内・外の研究動向及び位置づけ，応募者のこれまでの研究成果を踏まえ着想に至った経緯，これまでの研究成果を発展させる場合にはその内容等）
② 研究期間内に何をどこまで明らかにしようとするのか
③ 当該分野における本研究の学術的な特色・独創的な点及び予想される結果と意義

研　究　目　的（概要）※ 当該研究計画の目的について，簡潔にまとめて記述してください。

❶ 同じ個体の中でも，ある種の遺伝子は決まった組織にのみ発現し，その組織を特徴づけている。私たちはこれまでに，その遺伝子メカニズムに着目し，外性器形成においても同様に発現制御機構があるものと❷考えてきた。その考えのもと，性分化異常をきたす疾患❸を対象として，精巣の発生にかかわるプロモーター領域の解析を進めてきた。本研究では，これまでの研究手法をさらに発展させ，外性器形成障害の代表的疾患である尿道下裂を対象にゲノム❹ワイド解析を行う。さらに遺伝子およびプロモーター領域の両面から外性器形成メカニズムを包括的に解明することを目的とする。その成果により，外性器形成障害に対する新たな診断・治療法の開発へ臨床的応用を目ざしたい。❺

① 研究の学術的背景
[1] 本研究に関する国内・国外の研究動向及び位置づけ
❻ 1) 外性器異常における遺伝子発現制御

　外性器の形成には，複数の遺伝子が関与している。それらの機能解析は，ノックアウト動物を用いて進められている。しかし，外性器異常の症例において，こうした遺伝子変異が認められるのは一部にすぎず，多くの症例では原因は不明である。一方，最近になって精巣に特異的に働くプロモーター領域があり，同じ遺伝子であっても組織によって異なる発現制御を受けることが報告された。そのため，従来のように遺伝子機能のみを解析するのではなく，その発現制御機構を明らかにすることが重要になっている。

❼ 2) 外性器形成障害の代表疾患である尿道下裂の原因遺伝子

> ❽-2 空白ができた．この空白は余裕というよりも，冗長な空白になっている．

　これまでに同定されている遺伝子は，
❽-1　(1) アンドロゲンおよび関連遺伝子群（*SRD5A2*, *MAMLD1*）
　　　(2) エストロゲンおよび関連遺伝子群（*ESR1/2*, *ATF3*）
　　　(3) *FGF*, *BMP*, *HOX*, *WNT* などホルモン非依存性遺伝子群
である。しかし，外性器形成に特異的なプロモーター領域については，いまだ明らかにされていない。

[2] 応募者のこれまでの研究成果と着想に至った経緯 ❾
1) 私たちの外性器異常の研究

　私たちは，外性器・内性器の先天異常について診療を行う一方，それらの病態生理について基礎研究を進めてきた。とくに，尿道下裂の新たな術式や治療アルゴリズムの開発を行うとともに，病態解明にむけて精力的な研究を進めている（参考文献1, 2）。さらに，性分化に関わる因子のヒトにおける発現変化(3)，始原生殖細胞の発❿生機序(4)，精巣組織の分化・成熟機構(5)，精子形成メカニズム(6)，などのテーマについても基礎的研究を行ってきた。

2) エピジェネティックからみた外性器異常の研究

　近年の分子生物学の発展により，古典的なセントラルドグマで説明のつかない遺伝子発現の調節機構が次々と発見されている。これには，DNAメチル化やヒストンタンパク質修飾といったエピジェネティックな遺伝子発現調節や，わずか20塩基ほどの small RNA による micro RNA 発現調節機構が挙げられる。また，疾患の発症のしやすさや薬剤に対する応答性といった，これまで「体質」として片づけられてきた個体差が，遺伝子多型やDNAコピー数の違いといったゲノムの差異という観点から説明されようとしている。

図 3C-9-2　実例2（1頁目），校正1回目

❶ 「概要」の「起」を少なくした．
❷ 「承」として，これまでの研究成果を書いた．業績は多いのでまとめる形で書いた．
❸ 着想を書き加えた．
❹ 研究目的を明確に書いた．
❺ 社会への還元や発展性を書いた．
❻ タイトルをゴシック体にして，全体を締めた．
❼ 「研究の動向」は，専門的で読みづらい．一方，一般的なことでは冗長になる．そこで，それらを2つに分け小見出しを付けた．わかりやすくなったと思う．
❽-1 専門用語は箇条書きにした．
❽-2 略語には説明用語をつけた．見やすい．
❾ 「研究成果と着想」が長くなったので，2つに分けて，小見出しを付けた．不要な文章を削り，漢字も少なくした．読みやすくなったと思う．
❿ 参考文献の付け方の一例．

90　第3章　申請書の書き方

基盤 A・B（一般）－1

研究目的（つづき）

　こうした背景には，ヒトゲノムプロジェクト・国際 HapMap プロジェクトといった大規模データベースの構築や，コンピュータ処理能力の向上，次世代シーケンサーの登場といった技術的な進歩が挙げられる．現在私たちは，精巣の発生過程を解明するため，遺伝子そのものに加え，プロモーター領域の解析をゲノム全体にわたって行っている．その結果，X 染色体上の特定領域に精巣発生に関わるプロモーター領域を同定することができた（投稿準備中）．このようなゲノムワイド解析手法は，個々に遺伝子機能解析を行う手法に比べ効率的であり，遺伝子コード領域以外の情報も得ることが可能である．

　こうした研究手法をさらに発展させ，外性器障害の代表的疾患である尿道下裂についても，ゲノム DNA 全体を解析することによって，疾患特異的な変化を捉え，遺伝子だけでなくプロモーター領域を含めた，外性器形成メカニズムを包括的に解明することができるのでは，という着想に至った．

② 研究期間内に何をどこまで明らかにしようとするのか

　尿道下裂は，外尿道口の位置（下図：矢印）によって軽度な症例から重度の症例まで様々な形態を呈する．本研究では，陰嚢型・会陰型と呼ばれる重度の症例における全ゲノムの構造について，

(1) CGH array を用いた解析を行う．得られたデータと，正常男性データとの比較を行い，尿道下裂に特有のゲノム構造を探索する．
(2) (1)の結果をもとに，候補遺伝子における発現・機能解析を行う．
(3) (2)と併行して遺伝子発現調節領域におけるプロモーター／エンハンサー解析を行う．

　尿道下裂モデル動物や，外性器の器官培養系を用いて，遺伝子発現制御の検証を行い，外性器形成メカニズムを包括的に明らかにしていきたい．さらに，アンドロゲンによる転写制御カスケードとの関連性についても解析を行う．

③ 当該分野における本研究の学術的な特色・独創的な点及び予想される結果と意義

[1] 本研究の学術的な特色・独創的な点

　ゲノム全体を対象とするため，単一の遺伝子機能解析では得られなかった変化を明らかにできる点が挙げられる．本研究では，複数の症例に共通したゲノム DNA 領域をしぼりこむため，個々の遺伝子のみならず，組織特異的なプロモーターやエンハンサー領域を同定することが可能である．

[2] 本研究から予想される結果

　外性器形成にはアンドロゲンが必須であるため，アンドロゲンの転写制御カスケードにおける新たな知見が挙げられる．アンドロゲンは胎生期の器官発生期のみならず，二次性徴における外性器発育，さらには成人期においても骨・筋など様々な臓器に働きかけることが知られている．尿道下裂をきっかけとした本研究の成果から，アンドロゲンの標的臓器への作用メカニズムがさらに詳細に明らかとなれば，他疾患への応用・発展も可能となるであろう．造精機能障害などの疾患について新規診断・治療法の開発へ臨床的応用を目ざしたい．

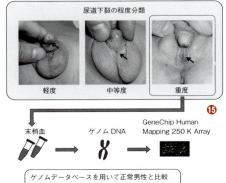

【参考文献】
1. Hayashi Y, Ohshima Y et al. *Urology*. 2010.
2. Shirokawa S, Hayashi Y et al. *BJU Int*. 2011.
3. Nomizu K, Hayashi Y, et al. *Urology*, 2010.
4. Nomizu K, Hayashi Y, et al. *Mol Reprod Dev*., 2006.
5. Ohshima Y, Nomizu K, Hayashi Y et al. *Urology*., 2009.
6. Nomizu K, Ohshima Y, Hayashi Y et al. *Urology*., 2011.

Jump 実例2（1頁目）

様式S－1－7　応募内容ファイル（添付ファイル項目）

基盤 A・B（一般）－1

研 究 目 的

本欄には，研究の全体構想及びその中での本研究の具体的な目的について，冒頭にその概要を簡潔にまとめて記述した上で，適宜文献を引用しつつ記述し，特に次の点については，焦点を絞り，具体的かつ明確に記述してください。（記述に当たっては，「科学研究費補助金（基盤研究等）における審査及び評価に関する規程」（公募要領62頁参照）を参考にしてください。）
① 研究の学術的背景（本研究に関連する国内・国外の研究動向及び位置づけ，応募者のこれまでの研究成果を踏まえ着想に至った経緯，これまでの研究成果を発展させる場合にはその内容等）
② 研究期間内に何をどこまで明らかにしようとするのか
③ 当該分野における本研究の学術的な特色・独創的な点及び予想される結果と意義

研　究　目　的（概要）　※当該研究計画の目的について，簡潔にまとめて記述してください。

　　同じ個体の中でも，ある種の遺伝子は決まった組織にのみ発現し，その組織を特徴づけている。私たちはこれまでに，その遺伝子メカニズムに着目し，外性器形成においても同様に発現制御機構があるものと考えてきた。その考えのもと，性分化異常をきたす疾患を対象として，精巣の発生にかかわるプロモーター領域の解析を進めてきた。

❶　　本研究では，これまでの研究手法をさらに発展させ，外性器形成障害の代表的疾患である尿道下裂を対象にゲノムワイド解析を行う。さらに遺伝子およびプロモーター領域の両面から外性器形成メカニズムを包括的に解明することを目的とする。その成果により，外性器形成障害に対する新たな診断・治療法の開発へ臨床的応用を目ざしたい。「研究のアウトライン」を下図に示す。❷

① 研究の学術的背景

[1] 本研究に関する国内・国外の研究動向及び位置づけ

1) 外性器異常における遺伝子発現制御

　　外性器の形成には，複数の遺伝子が関与している。それらの機能解析は，ノックアウト動物を用いて進められている。しかし，外性器異常の症例において，こうした遺伝子変異が認められるのは一部にすぎず，多くの症例では原因は不明である。一方，最近になって精巣に特異的に働くプロモーター領域があり，同じ遺伝子であっても組織によって異なる発現制御を受けることが報告された。そのため，従来のように遺伝子機能のみを解析するのではなく，その発現制御機構を明らかにすることが重要になっている。

2) 外性器形成障害の代表疾患である尿道下裂の原因遺伝子　　〔箇条書きでわかりやすい．〕

　　(1) アンドロゲンおよび関連遺伝子群（*SRD5A2*，*MAMLD1*，*VAMP7*）
　　(2) エストロゲンおよび関連遺伝子群（*ESR1*，*ESR2*，*ATF3*，*CYP19A1*（aromatase））
　　(3) *FGF*，*BMP*，*HOX*，*WNT* などホルモン非依存性遺伝子群　がこれまで報告されている。
　　　　しかし，外性器形成に特異的なプロモーター領域については，いまだ明らかにされていない。

[2] 応募者のこれまでの研究成果と着想に至った経緯

1) 私たちの外性器異常の研究

　　私たちは，外性器・内性器の先天異常について診療を行う一方，それらの病態生理について基礎研究を進めてきた。とくに，尿道下裂の新たな術式や治療アルゴリズムの開発を行うとともに，病態解明にむけて精力的な研究を進めている(参考文献1，2)。さらに，性分化に関わる因子のヒトにおける発現変化(3)，始原生殖細胞の発生機序(4)，精巣組織の分化・成熟機構(5)，精子形成メカニズム(6)，などのテーマについても基礎的研究を行ってきた。

2) エピジェネティックからみた外性器異常の研究

　　近年の分子生物学の発展により，古典的なセントラルドグマで説明のつかない遺伝子発現の調節機構が次々と発見されている。これには，DNAメチル化やヒストンタンパク質修飾といったエピジェネティックな遺伝子発現調節や，わずか20塩基ほどの small RNA による micro RNA 発現調節機構が挙げられる。また，疾患の発症のしやすさや薬剤に対する応答性といった，これまで「体質」として片づけられてきた個体差が，遺伝子多型やDNAコピー数の違いといったゲノムの差異という観点から説明されよう

〔図の字体はゴシック体が読みやすい．〕　〔図を付けた．〕

研究計画のアウトライン ❸

重度の尿道下裂：20例
↓ ゲノムDNAを抽出
CGH array　　全症例に共通する染色体構造多型の検出

① 候補遺伝子における発現・機能解析
・発現プロファイル解析
・尿道下裂モデル動物を用いた解析

② 遺伝子発現調節領域における解析
・プロモーター解析
・エンハンサー解析
・エピジェネティック解析

図 3C-9-3　実例2（1頁目），完成版（図 3C-9-2 を改変）

❶ 概要は Step と同じだが，書くスペースがあるので，改行をして，本研究目的を強調した．

❷ 研究目的と研究計画が多岐にわたるので，最初に「研究のアウトライン」を図示した．それを強調して示した．

❸ Step の冗長になりかけていた余白に，「研究のアウトライン」の図を挿入した．アクセントになり，本文も理解しやすくなった．

研究目的（つづき）

としている。

こうした背景には，ヒトゲノムプロジェクト・国際HapMapプロジェクトといった大規模データベースの構築や，コンピュータ処理能力の向上，次世代シーケンサーの登場といった技術的な進歩が挙げられる。現在私たちは，精巣の発生過程を解明するため，遺伝子そのものに加え，プロモーター領域の解析をゲノム全体にわたって行っている。その結果，X 染色体上の特定領域に精巣発生に関わるプロモーター領域を同定することができた（投稿中）。

こうした研究手法をさらに発展させ，外性器障害の尿道下裂についても，ゲノム DNA 全体を解析することによって，疾患特異的な変化を捉え，遺伝子だけでなくプロモーター領域を含めた，外性器形成メカニズムを包括的に解明することができるのでは，という着想に至った。

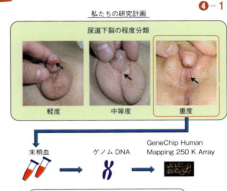

② **研究期間内に何をどこまで明らかにしようとするのか**

尿道下裂は，外尿道口の位置（上図：矢印）によって軽度から重度の症例まで様々な形態を呈する。
本研究では，陰嚢型・全陰型と呼ばれる重度の症例における全ゲノムの構造について，
(1) CGH array を用いた解析を行う
　得られたデータと正常データとをくらべ，尿道下裂に特有のゲノム構造を調べる。
(2) (1)の結果をもとに，候補遺伝子における発現・機能解析を行う
(3) (2)と併行して遺伝子発現調節領域におけるプロモーター／エンハンサー解析を行う
尿道下裂モデル動物や，外性器の器官培養系を用いて，遺伝子発現制御の検証を行い，外性器形成メカニズムを包括的に明らかにしていきたい。さらに，アンドロゲンによる転写制御カスケードとの関連性についても解析を行う。

③ **当該分野における本研究の学術的な特色・独創的な点及び予想される結果と意義**

[1] **本研究の学術的な特色・独創的な点**

ゲノム全体を対象とするため，単一の遺伝子機能解析では得られなかった変化を明らかにできる点が挙げられる。本研究では，複数の症例に共通したゲノム DNA 領域をしぼりこむため，組織特異的なプロモーターやエンハンサー領域を同定することが可能である。

[2] **本研究から予想される結果**

外性器形成にはアンドロゲンが必須であるため，アンドロゲンの転写制御カスケードにおける新たな知見が得られるだろう。アンドロゲンは胎生期の器官発生期のみならず，二次性徴における外性器発育，さらには成人期においても骨・筋など様々な臓器に働きかけることが知られている。尿道下裂をきっかけとした本研究の成果から，アンドロゲンの標的臓器への作用メカニズムがさらに明らかとなれば，他疾患への応用・発展も可能となるであろう。造精機能障害などの疾患について新規診断・治療法の開発へ臨床的応用を目ざしたい。

【参考文献】
1. Hayashi Y, Ohshima Y et al. *Urology*, 2010.
2. Shirokawa S, Hayashi Y et al. *BJU Int*, 2011.
3. Nomizu K, Hayashi Y, et al. *Urology*, 2010.
4. Nomizu K, Hayashi Y, et al. *Mol Reprod Dev*, 2006.
5. Ohshima Y, Nomizu K, Hayashi Y et al. *Urology*, 2009.
6. Nomizu K, Ohshima Y, Hayashi Y et al. *Urology*, 2011.

図 3C-9-3（つづき）　実例2（2頁目），完成版（図 3C-9-2 を改変）

❹-1, 2　図を右上に変えた．その理由は，本文の内容に近いところにもってくるためと，**Step**の⓬のコメントのように本文が長かったので，図を入れることにより，圧迫感を和らげるため．

❺　これも小さなことだが，**Step**の一文字「（～解析を行）う．」の「う．」が一文字だけ改行されていたのを修正した．すっきりした．このように完成版では，仔細な点までチェックすること．

にくくしています．これらの言葉を使わなくても申請書を書けないか，もう一度見直してください．

- どうしても使うときは，脚注か図表で説明します（図 3C-11 ➡ 095頁）．

i）漢字は文章全体の 20～30% 以内にする

- 全体的に漢字の多い申請書は読む意欲を損ないます．書き終わってから，ひらがなやカタカナに変換できないか見直してください．その実例を示します（第 4 章 ➡ 153頁）．

j）一文は 40 字以内を目ざす

- 専門外の文章を初めて読むときは，1 つの文のなかに 2 つ以上の内容が書かれていると理解しづらいものです．文章を書きあげてから，それらを一文ずつに分解できないか，見直してください．その実例を示します（第 4 章 ➡ 153頁）．

k）言いたいことを強調する方法

- ゴシック体，アンダーライン，「　」などを用いて強調します．しかし，アンダーラインやゴシック体を多く用いると，逆に読みづらくなります（第 4 章 ➡ 154頁）．

キラリと輝く申請書 14　独創性ある研究

　研究で最も重要なことは独創性です．とは言っても，まだ研究をしていない人に研究の発想が生まれるものではありません．そのような人が「こんなことをしたい」とか「こんなことを思いついた」と言うことがありますが，その大半は，単なる思いつきか，苦し紛れの言葉のことが多いようです．

　研究を始めるに当たっては，先輩の研究を手伝ったり，グループの勉強会に参加したり，学会でネタになることを探したり，医学においては患者さんを 1 人ひとり深く診療したりするときに，ふと独創的な考えが浮かぶものです．

　しかし，独創的だと思っても，そのなかにはすでに先達が研究していることがあります．

　一番よいのは研究を自分の「手と頭」で行うことで，真剣にやればやるほどに，研究のアイデアがふと浮かぶものです．研究の結果をじっくり解析し，うまく研究が進まなかったときにこそ疑問をもち，へこたれずに取り組めば，思わぬ独創的な考えが浮かぶことがあります．苦労の上に素晴らしい結果が出ることは何ごとも同じです．

　時には，偶然思わぬ結果が生まれる，いわゆるセレンディピティがあります．

　これこそが「研究の楽しさ，美しさ」（第 1 章 ➡ 002頁）で，物事の真理を探求する知的好奇心が満たされたときの，研究の楽しみです．

　しかし真面目に研究しても，申請書に書けるほどの独創性がないケースが大半です．心配しないでください．私はそのようなときは，「現在行っている研究の疑問点を独創性として書くのも 1 つだ」と話しています ➡ 072頁．

　これは，「独創性の後づけ」と言えるものですが，これからも真摯に研究を続けていると，真の独創的な発想が生まれるのだと，先輩としてアドバイスします．

基盤C（一般）－1

研究目的
①研究の学術的背景（本研究に関連する国内・外の研究動向及び位置づけ，応募者のこれまでの研究成果を踏まえ着想に至った経緯，これまでの研究成果を発展させる場合にはその内容等）

◆本研究に関連する国内・国外の研究動向及び位置づけ

従来の"がん温熱治療"は電極で患部を鋏み交流電流により加温する"誘電加温法"❺である．この方法は電極で挟まれた正常部分まで加温される❺と，加温が不安定になるため深部加温には適さないという欠点がある．一方，私たちが開発した温熱治療法は磁場の誘導により加温するので"磁場誘導組織内加温法"と呼ばれる．酸化鉄微粒子は生体への親和性を考慮しプラスに荷電した脂質に包まれており，正電荷脂質包埋型磁性ナノ粒子（Magnetic Cationic Liposome: MCL）❻と呼ばれ，この方法を MCL Heat Therapy と名付けた❺．MCL Heat Therapy は深部加温が可能で正常部分は加温しない，従来の"誘電加温法"の欠点を克服する方法である（右図）．❹

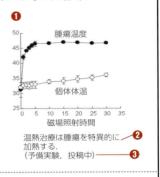

❶
温熱治療は腫瘍を特異的に加熱する．❷
（予備実験，投稿中）❸

図 3C-10　未発表データを示す〔基盤研究（C）〕

❶ 一般的でないことや専門的なことは図表で示す．
❷ タイトルをつける．
❸ 予備実験のデータ，投稿中を示す．
❹ 本文中に表示する．
❺ 専門用語はアクセントを付け，記号化する．
❻ 略語の表現法の1つ．
❼ アンダーラインで強調した．

基盤C（一般）－2

研究目的（つづき）

〜中略〜

①研究期間内に何をどこまで明らかにしようとするのか
　（2）前立腺肥大症モデルに高発現するタンパク質のスクリーニングと機能の解析

蛍光標識二次元ディファレンスゲル電気泳動解析システム❸（Fluorescence2D Difference Gel Electrophoresis；2D-DIGE、図2）は、比較するタンパク質サンプルを同一ゲル上で一括して二次元電気泳動を行うシステムで、発現量の差異を高精度に検出できる。本研究では、ラット正常前立腺と間質優位前立腺肥大モデルとの間で2D-DIGE法を行うことにより、肥大症に特異的に高発現しているタンパク質を高精度に検出、スクリーニングする。

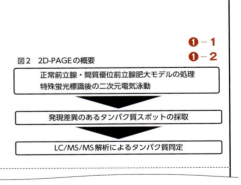

❶-1
❶-2
図2　2D-PAGEの概要

図 3C-11　専門的な内容は図表や脚注で説明するとわかりやすくなる

❶-1 専門用語の説明なのでシンプルにする．
❶-2 ゴシック体を用い，見やすい図にする．
❷ 本文中に表示する．
❸ 専門用語ならびに略語の示し方の1つ．

D 研究計画・方法

> **・Point・**
>
> 1) 「研究計画・方法」の申請書における位置づけ
>   - 「科研費が採択される3要素(アイデア・業績・見栄え)」のすべてを含んでいる.
>   - 「審査の評定基準」の6要素のうち5要素を含んでいる. 重要な項目である.
>
> 2) 「研究計画・方法」を書くコツと落とし穴
>   ① 冒頭に概要を簡潔にまとめる(図 3D-1-1, 2, 図 3D-2-1, 2)
>   - 「研究計画(概要)」を書くスペースは,研究目的と同様に「8行,320文字」.
>   - 推奨する書き方の基本型は,
>   a) まず,「研究目的」の内容をもう一度大要としてまとめる.
>   b) 続けて,「研究計画」の大要を書く. a), b) で1〜3行.
>   (再度,大要を書くことにより,審査委員に,あなたの研究をさらに理解してもらう効果がある)
>   c) 次いで,具体的な研究計画を書く. あなたの研究の特色を強調して,次の2つの方法で書く(図 3D-2-1, 2).
>   - 研究目的「②研究期間内に何をどこまで明らかにするのか」の研究目的(サブタイトル)で書いた箇条書きを用いる(第3章C ➡ 074頁).
>   - そのあとに,サブタイトルごとに研究計画の要旨を書く.
>   - あなたの研究計画,手法,研究チームなどすぐれている点に重きをおいて書く.
>   d) これらの基本型を踏まえ,あなたのオリジナルを生み出す.
>   e) 研究計画や方法だけでなく,研究内容をアピールする意識をもって書く.
>   ② 申請年度とそれ以降の年度に分けて研究計画を書く
>   a) 研究計画の全体像を示す.
>   - 「研究の手順」あるいは「研究デザイン」を図表で示す(図 3D-3-1, 2, 3, 4).
>   - これにより,研究目的と研究計画との関係を明らかにし,研究の全体像をわかりやすくする.
>   b) パラグラフ・ライティングの手法を用いる.
>   - 研究目的(サブタイトル)ごとに,初年度と翌年度以降に分けて書く.
>   - この際,研究目的(サブタイトル)には,小見出しをつける.
>   - 小見出しをつけると研究計画に論理性が増し,内容が明瞭になり,見栄え

もよくなる(図 3D-4-1, 2, 3).
- 研究目的(サブタイトル)別・年度別に書く内容は「パラグラフ」ととらえる.
- したがって，書き方は，「パラグラフ・ライティング」の手法を用いる(キラリと輝く申請書⑬ ➡ 069 頁).
- その要点は，1)冒頭に言いたいことを書く．2)そのあとに具体的な研究計画や方法を書く．3)パラグラフには言いたいことを1つだけ書く．4)異なるテーマは新たなパラグラフにする．
- この手法により，あなたの「研究計画・方法」が審査委員にしっかり伝わる．

c)あなたの研究成果がもたらす効果を示す．
- あなたの研究成果により，明らかになることや社会に役立つことを示す．
- 例えば，「○○を調査した後，△△につなげる」，「□□を測定したことにより××に発展させる」などを書く．
- 特に，初年度の研究成果が翌年度以降に進展することが伝わるように書く．

③ 適切な文献を引用する(第3章C ➡ 078 頁).
- 文献引用はすべての事項に必要ではない．多すぎないようにする．あなたの研究の必要性が伝わるように引用する．

④ 焦点を絞り，具体的かつ明確に記述する．
a)あなたの研究の手法は，これまでの手法を用いたものあるいは改良したものであることを書く．
- あなたの研究は，これまでの研究の延長線上にあることがわかると，実現性が高いと判断されやすい．

b)ユニークな方法論や先端的な実験方法をアピールする．
- 方法論や実験方法がまだ一般的でない場合には，図示あるいは脚注で説明する(図 3D-5-1, 2, 3, 4).

c)実験計画の細部や詳しい研究手法については，限られたスペースに書く．
- ただし，研究方法を具体的に書くことにより，研究計画の信頼性と研究の実現性を示すことができる．

d)図表，箇条書き，小見出しなどを活用する．
- 研究計画が複雑なときには，図表(図 3D-5-1, 2, 3, 4)を用いるか，箇条書きにする．
- 研究目標(サブタイトル)には小見出しを付ける(図 3D-4-1, 2, 3).
- これらにより，理解しやすく，見栄えがよくなる．

e) 重要 研究が当初の計画通りに進まないときの対応に触れる．
- 研究なので，計画通りに進まないことは，誰にでもある．
- しかし，貴重な血税を用いた研究であるので，そのときの対処法を想定して研究計画を立てる．
- このことは，あなたの貴重な時間を大切にし，すぐれた研究成果を着実に生み出す秘訣である．

f) 研究計画を遂行するための研究体制と役割，必要性と妥当性を示す．
- 昨今の研究は先端化し細分化しているので，よき共同研究者は欠かせない（第1章 ➡ 013, 018頁，キラリと輝く申請書② ➡ 014頁）．
- 科研費が指定する「4種類の共同研究者」は，研究種目によって異なるので注意する．
- 応募資格や分担金の配分なども異なるので注意する（第2章 ➡ 024頁）．
- 研究者が多いときは，共同研究者の役割を図示する（図3D-6）．
- あるいは，共同研究者の担当を，研究目的（サブテーマ）の小見出しのあとに書く（図3D-4-1, 2, 3）．
- 「若手研究」以外の研究種目では，研究組織の必要性ならびに，研究目的との関連性を書く．

g) 若手研究では，具体的な工夫（アイデア，研究協力者の支援）を示す．

I 基本編

1 「研究計画・方法」の申請書における位置づけ

- 「科研費が採択される3要素」は，①アイデア，②業績，③見栄え，であることはすでに述べました（第1章 ➡ 004頁）．その観点から言うと，「研究計画・方法」（以下「研究計画」と略します）は，これら3つをすべて含んでいます．しかし，「研究目的」に比べると，3つの要素すべてにおいてウェイトは低いと思います．

- 「審査の評定基準」においては，「研究計画」は評価基準の6つの要素のうち，少なくとも5つの要素を含んでいます（付録3 ➡ 160頁）．審査委員は，6つの評価要素を見ながら評点するでしょうから，「研究計画」も息を抜けません．

II 実践編

1 「研究計画」を書くコツと落とし穴

- まず初めに，科研費の申請書（3頁目）の「研究計画を書くときの説明事項」（以下「書くときの説明事項」と略します）を見てください（図 3D-1-1，2）．
- 研究種目によって，少しの違いがあることに注意してください．
- 「研究計画」を書く要点として，表 3D-1 にまとめました．毎年若干変わっていますが，とくに平成30年度からの新しい制度に注意してください．基盤研究（C）では，6項目が求められています（図 3D-1-1）．
- 若手研究では，それら6項目に加えて，研究を遂行するうえでの具体的な工夫（アイデア，研究協力者の支援）などの記述が求められています（図 3D-1-2，表 3D-1）．
- 次に，これらの7つの項目を，順を追って説明します．

1）冒頭に概要を簡潔にまとめる

a）冒頭に概要をまとめるとはどういう意味か？

- 「書くときの説明事項」の指示にある，「冒頭に概要をまとめる」には次の2つの

基盤 C（一般）－ 3

研究計画・方法

本欄には、研究目的を達成するための具体的な研究計画・方法について、冒頭にその概要を簡潔にまとめて記述した上で、平成28年度の計画と平成29年度以降の計画に分けて、適宜文献を引用しつつ、焦点を絞り、具体的かつ明確に記述してください。ここでは、研究が当初計画どおりに進まない時の対応など、多方面からの検討状況について述べるとともに、研究計画を遂行するための研究体制について、研究分担者とともに行う研究計画である場合は、研究代表者、研究分担者の具体的な役割（図表を用いる等）、学術的観点からの研究組織の必要性・妥当性及び研究目的との関連性についても述べてください。

また、研究体制の全体像を明らかにするため、連携研究者及び研究協力者（海外共同研究者、科研費への応募資格を有しない企業の研究者、その他技術者や知財専門家等の研究支援を行う者、大学院生等（氏名、員数を記入することも可））の役割についても記述してください。

なお、研究期間の途中で異動や退職等により研究環境が大きく変わる場合は、研究実施場所の確保や研究実施方法等についても記述してください。

研究計画・方法（概要） ※ 研究目的を達成するための研究計画・方法について、簡潔にまとめて記述してください。

[320文字の世界]　[この点線は動かせない]

図 3D-1-1 研究計画の頁と「研究計画を書くときの説明事項」〔基盤研究（C）〕
❶～❻は表3D-1を参照のこと．

D 研究計画・方法　99

表 3D-1　「研究計画」を書く要点

❶ 冒頭に概要を簡潔にまとめる．
❷ 初年度と翌年度以降に分けて研究計画を書く．
❸ 適宜文献を引用する．
❹ 焦点を絞り，具体的かつ明確に記述する．
❺ 研究が当初の計画通りに進まないときの対応に触れる．
❻ -1 研究を遂行するための研究体制と役割を示す．

さらに，基盤研究（A，B）と挑戦的研究では，
❻ -2 学術的観点からの研究組織の必要性と妥当性を示す．

さらに，若手研究では，
❼ 本研究の具体的な工夫（アイデア，研究協力者からの支援など）を示す（図 3D-1-2）．

若手－3

基盤研究 C と異なるところがあるので注意する．

研究計画・方法
　本欄には、研究目的を達成するための具体的な研究計画・方法について、冒頭にその概要を簡潔にまとめて記述した上で、平成28年度の計画と平成29年度以降の計画に分けて、適宜文献を引用しつつ記述してください。ここでは、研究が当初計画どおりに進まない時の対応など、多方面からの検討状況について述べるとともに、次の点についても、焦点を絞り、具体的かつ明確に記述してください。
　❼　① 本研究を遂行する上での具体的な工夫（効果的に研究を進める上でのアイディア、効率的に研究を進めるための研究協力者からの支援等）
　② 研究計画を遂行するための研究体制について、研究代表者及び研究協力者（海外共同研究者、科研費への応募資格を有しない企業の研究者、その他技術者や知財専門家等の研究支援を行う者、大学院生等（氏名、員数を記入することも可））の具体的な役割（図表を用いる等）
　③ 研究代表者が、本研究とは別に職務として行う研究のために雇用されている者である場合、または職務ではないが別に行う研究がある場合には、その研究内容と本研究との関連性及び相違点
　　なお、研究期間の途中で異動や退職等により研究環境が大きく変わる場合は、研究実施場所の確保や研究実施方法等についても記述してください。

研究計画・方法（概要）※ 研究目的を達成するための研究計画・方法について、簡潔にまとめて記述してください。

図 3D-1-2　「研究計画を書くときの説明事項」（若手研究）
❼は表3D-1を参照のこと．基盤研究と若干異なるので注意する．

意味があると，私は考えています．
　①「研究目的（概要）」と同じような意味合いで，「研究計画（概要）」を書くことです．これが，一般的な考えでしょう（下記 b）．
　② 本文中には研究目的（サブタイトル）別，年度別に「研究計画」を書きますが，それぞれの冒頭に研究計画や研究目的の概要をまとめるという意味です．このことは重要なのであとで述べます ➡ 105頁．

b) 研究計画（概要）を書くときに留意すること

- 「研究計画」を書くスペースは，A4用紙の2頁分です．その冒頭に，研究計画の概要をまとめます．研究計画調書には罫線はなく，白背景で自由に記載できますが，1頁目の上部1/4くらいに点線（-----）があります（図3D-1-1）．

- この点線より上に「研究計画（概要）」を，点線より下に「研究計画」を書きます．この点線を動かすことができないのは「研究目的」と同じです．なお，この区切りは，平成22年度から設けられました．

- このことにより，「研究計画」の概要を書くスペースは「研究目的」と同様に，わずか「8行，320文字の世界」です．ただ，研究計画に書く内容は研究目的に比べて多いことから，9行にして詰め込んだ概要を見かけることが多いです．

- いずれにせよ，概要は簡潔かつ明瞭に書くことが重要です．そこで「研究目的」で説明したように次のような書き方の基本を勧めます（第3章B ➡ 053頁）．

> ① 言いたいことを単文あるいはキーワードで書き並べる．
> ② それらのなかから不要なところを順次削る．
> ③ 残った単文を，全体の構成を考えながら，適切な接続詞をつけて文章にする．
> ④ 書くことに慣れてきても，書き始める前から「320文字」の文字数を意識しない．言いたいことをすべて書いたあとに，その中から不要なところを順次削る．

c) 「研究計画（概要）」の書き方には起承転結は不向きか？

- 「研究計画（概要）」の書き方では，「研究目的」で強調した「起承転結」にはこだわりません．私も何度か，「起承転結」にあえてこだわって書いてみましたが，どこかシックリきません．

- その理由は，「書くときの説明事項」が求めている書き方が，起承転結のスタイルではないからだと思います．そこで「研究計画（概要）」では，新たな書き方の基本型を考えました．

d) 若手研究者に推奨する書き方の基本型

① まず，「概要」の冒頭に，「研究目的」で書いた内容をもう一度大要としてまとめます．

② 続けて，「研究目的」とのかかわりがわかるような形で「研究計画」の大要を書きます．これら①，②を2つあわせた長さは1～3行です．

- このことは，審査委員があなたの研究内容をさらに理解するのに効果があります．たとえ審査委員とはいえども，専門外の申請書を，1回通読しただけで理解することは並大抵ではないからです．これが重要です．

③ 次いで，具体的な研究計画を書きます．ここで大切なことは，あなたの研究の特色を強調することです．例えば，先端的でユニークな研究手法，独創的で学

術的・社会的意義がある研究目的，すぐれた研究業績などを示します．

- これについては以下の 2 つの書き方があります．

    A. 研究目的（サブタイトル）に自信がある研究者に

    - お勧めしたいのは，『研究目的「②研究期間内に何をどこまで明らかにするのか」の書き方』で書いた研究目的（サブタイトル）の箇条書きを「研究計画（概要）」に用いることです．そのあとに，サブタイトルごとに研究計画の要旨を書きます（第 3 章 C ➡ 074 頁）（図 3D-2-1）．

    - この方法は簡単なのでやってみてください．ただし，同じスタイルの申請書が多くなると，審査委員は逆に独創性が低いと評価するかも知れません．これらの基本型を踏まえ，あなたのオリジナルの申請書を作成してください．オリジナリティの大切さは，本書で一貫して話していることです．

    B. 研究計画・方法に自信がある研究者に

    - あなたの研究が卓越していれば，それらに重きをおいて書きます（図 3D-2-2）．例えば研究計画が独創的であるとき，研究手法が先端的であるとき，研究チームがすぐれているときなどです．

e）最後に，大切なこと

- 「研究計画」を書くにあたって重要なことは，研究計画や研究方法を詳しく説明するだけでなく，あなたの研究内容の独創性や特色を審査委員に正しく伝え，アピールすることです．その意識をもって書いてください．

基盤 C（一般）－ 3

研究計画・方法（概要）　※ 研究目的を達成するための研究計画・方法について，簡潔にまとめて記述してください．

❶ 私たちが作成した抗オステオポンチン（OPN）抗体の結石抑制作用を応用し，尿路結石の治療薬を開発する．それに向けて国内外の各専門家チームを形成し，以下の 3 点から研究計画する．

❷ Ⅰ．結石形成のバイオマーカーの確立：
❸ ヒト結石患者の尿サンプル内の切断型 OPN 蛋白を定量化し，健常者の尿サンプルと比較する．

❷ Ⅱ．サルを用いた抗 OPN 抗体の毒性の検討：
❸ サル OPN 蛋白のトロンビン切断部位（SVAYGLR 配列）に対する特異的モノクローナル抗体を大量作成する．サルに抗 OPN 抗体を投与し，有効用量の設定との安全性を観察する．

❷ Ⅲ．抗 OPN 抗体を用いた分子標的治療薬の開発：
❸ サルの形成モデルを世界で初めて作成し抗 OPN 抗体の結石形成抑制効果を調べる．

図 3D-2-1　「研究計画」を書く基本型（その 1）〔基盤研究（C）〕
「研究目的」で書いたことを用いる（この実例は図 3C-4 を用いた）

❶ 研究目的および計画の大要を 1～3 行で書く．
❷ 「研究目的②」の箇条書き（サブタイプ）を引用し，それを小見出しとする．
❸ 小見出しのあとにそれぞれの研究計画の要旨を書く．

基盤 A・B（一般）－3

> **研究計画・方法（概要）** ※ 研究目的を達成するための研究計画・方法について、簡潔にまとめて記述してください。
>
> 本研究では、尿道下裂のゲノム構造の網羅的解析により、新規診断法への応用を目ざし、3つの計画をする．
>
> <u>重度の尿道下裂20症例のゲノムDNAについてCGH arrayを用いた解析を行う</u>．❶
> <u>疾患特異的な染色体構造多型（コピー数異常・LOHなど）の検出を行い</u>、<u>候補遺伝子における発現・機能解析</u>；（A）タンパク質発現解析、（B）尿道下裂モデル動物を用いた解析、（C）生殖結節の器官培養実験、（D）候補遺伝子の強制発現・機能阻害実験、および<u>遺伝子発現調節領域におけるプロモーター／エンハンサー解析</u>；（A）プロモーター解析、（B）エンハンサー解析、および（C）エピジェネティック解析、の2つの系について解析を進めていく。さらに各候補遺伝子やプロモーター領域のアンドロゲンに対する応答性についても検討する。<u>これらの手法はすでにこれまでの研究で確立しており、成果の実現性は高いと考える</u>．❹

図 3D-2-2 「研究計画」を書く基本型（その2）〔基盤研究（B）〕
研究計画や研究方法に特色があるときに用いる手法．

❶ 内容が多岐にわたるので箇条書きにしていない．
❷ しかし，ポイントとなるところに黒色のアンダーラインと項目立て．
❸ 先端的な研究手法を用いている．
❹ これまでの経験と業績を述べ，実現性を示している．

2）申請年度と翌年度以降に分けて研究計画を書く

a）研究計画の全体像を示す

- 「研究計画」が多様になったとき，あるいは複雑になったときには，「研究の手順」あるいは「研究デザイン」を研究フローや図表で示します（図 3D-3-1, 2, 3, 4）．これにより，研究目的と研究計画との関係が明瞭となり，あなたの研究の全体像が理解されやすくなります．

図 3D-3-1
「研究計画」の全体像を図示する（その1）〔基盤研究（B）〕

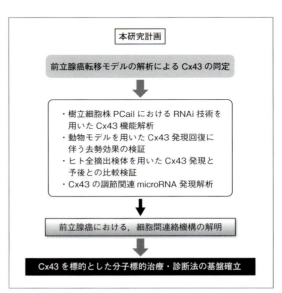

図 3D-3-2 「研究計画」の全体像を図示する（その2）〔基盤研究（C）〕

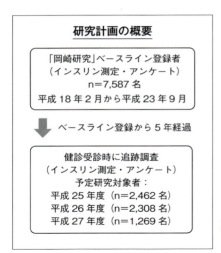

図 3D-3-3 「研究計画」の全体像を図示する（その3）〔若手研究〕

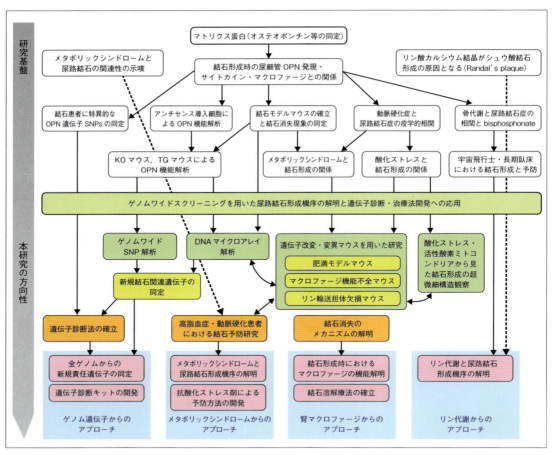

図 3D-3-4 「研究計画」の全体像を図示する（その4）〔基盤研究（A）〕
　　　　　本研究は4つの研究アプローチから行うもので，多種多様にわたることから図示した．図にしてもまだ複雑だが，本文の説明になり，研究の全体像を理解するのに役立つ．

b) パラグラフ・ライティングの手法を用いる

- 研究目的(サブタイトル)ごとに，初年度と翌年度以降に分けて研究計画・方法を書きます．この際，研究目的(サブタイトル)に，小見出しを付けてください．この書き方によって，あなたの研究計画は論理性が増し，研究内容が明瞭になります．もちろん見栄えもよくなります(図3D-4-1，2，3)．

- このようにして，研究目的(サブタイトル)別・年度別に書く内容は1つの「パラグラフ」ととらえることができます．そこで，ここでの書き方は，「パラグラフ・ライティング」という手法を用いることを勧めます．これは重要なので，しっかり会得してください(キラリと輝く申請書⓭ ➡ 069頁)．

- パラグラフ・ライティングの要点は以下の4点です．

  > 1) パラグラフの冒頭に，あなたが言いたい要旨を書く(小見出しが，最も言いたいことを端的に表しています)．
  > 2) 要旨を書いたあとに，具体的な研究計画や研究方法を書く．
  > 3) パラグラフには，あなたが言いたいこと(主題)を1つだけ書く．
  > 4) 異なる主題になるときには，新たなパラグラフにする．

- この手法により，あなたが言いたい「研究計画・方法」が審査委員にしっかり伝わることになります．

- 次に，上記の1)，2)の具体的な書き方を説明します．

  1) パラグラフの冒頭に，あなたが言いたい要旨を書く

  - あなたが強調したいこと，例えば，独創的な研究計画，先端的な研究手法，周到な準備状況などを書きます．その際，研究目的(サブタイトル)の要旨をもう一度2～3行で書くこともあります．この研究目的(サブタイトル)で，何をしようとしているのかを審査委員にはっきりと理解してもらうためです(図3D-4-1-❻)．

  - このことは，あなたの申請書を引き立たせるポイントとなるので，重要です．実際に申請書を作成するお手伝いをしたいところですが，あなた自身にしかオリジナルな申請書はできません．これらの基本型も踏まえ，しっかり考えてください．

  2) 要旨を書いたあとに，具体的な研究計画や研究方法を書く

  - それらの内容は，「動物実験の方法」「測定方法，実験操作の方法」「データの収集方法と解析法」などで，簡潔に書きます．

基盤 A・B（一般）－ 3

研究計画・方法

研究計画・方法（概要） ※ 研究目的を達成するための研究計画・方法について、簡潔にまとめて記述してください。

これまでの研究成果を基に、次の 4 点から結石形成機序を解明し、予防法を確立する（図 1、2 参照）。
Ⅰ．ゲノムワイドなスクリーニングから新規責任遺伝子の同定を行い SNP を用いた遺伝診断法を確立する。
Ⅱ．肥満モデルマウスを用いてメタボリックシンドロームと尿路結石の関連を明らかにする。さらに動脈硬化との発症の類似性から、本研究では酸化ストレス薬剤の結石予防効果に向けて、臨床応用をする。
Ⅲ．腎間質のマクロファージが作用している微小結石の消失機序を明らかにし、結石予防法に応用する。
Ⅳ．腎尿細管のリン輸送担体から結石形成機序を解明する。

平成〇〇年度の計画

❶Ⅰ．ゲノム遺伝子からのアプローチ❷（新規遺伝子の同定と機能解析）

❷(1) 新規遺伝子の同定と機能解析(A 村 B 男，C 中 D 子❺)

❻ カルシウムを主成分とする尿路結石の形成機序は、食事などの環境因子に加えて、遺伝因子が重要であると考える。遺伝因子としては、「個人差程度の違い」である遺伝子多型(SNP)が、いくつも複雑に関連して疾患が発症していると考えられている。

❹ 本研究では、尿路結石患者と健常者から、尿路結石責任遺伝子についてゲノムワイドなスクリーニングを行い、新規遺伝子を同定する。ハプロタイプブロックの領域には、「タグ SNP」と呼ばれる、その領域を代表する SNP が存在しており、タグ SNP をタイピングすることで、尿路結石関連遺伝子の一次スクリーニングを行う。収集した結石患者のゲノム遺伝子で、二次スクリーニングを行う。両スクリーニングで一致した、結石患者に特徴的なタグ SNP から、翌年度以降に機能解析をする予定である。なお、研究に用いる患者および健常者からの検体はすでに収集している（図 1）。

❸【図 1】

❷(2) 遺伝子診断法の確立(A 村 B 男，E 川 F 助❺)

現在保有している結石患者 1,000 名と健常者 1,000 名のゲノム DNA を用いて研究をする。私たちは、結石マトリックス蛋白である OPN および骨関連遺伝子 MGP については、すでに尿路結石に特徴的な SNP を報告したので、今回は、症例数をそれぞれ 1,000 名とし、それぞれの SNP および haplotype の結石リスクを数値にて算出する。

❹ さらに、これまで報告のあった結石関連遺伝子の SNP を公開されているデータベースから選び出し、5'nuclease assay を用いて解析する。尿路結石に関する患者データ（結石成分、年齢、再発性、多発性、尿中 OPN 量、血液・尿生化学データ）を同時に解析する。各遺伝子の SNP について健常者と比較した発症リスクを算出し、組み合わせることによって、ゲノム遺伝子を用いた結石リスク診断法(SNP による結石リスクの数値化)を開発する。

❷Ⅱ．メタボリックシンドロームからのアプローチ(A 村 B 男，C 中 D 子❺)

メタボリックシンドロームに関与するレプチン遺伝子異常である肥満モデルマウス(ob/ob マウス)と、対照として私たちが開発した結石モデルマウスを用い、シュウ酸前駆物質である glyoxylate を連日腹腔内投与し、高脂肪食、脂質制限など食事環境を変化させ、コレステロール摂取と結石形成との相関を検討する。また、メタボリックシンドロームの治療薬である PPARγアゴニスト(thiazolidine)を結石モデルラットと肥満モデルマウスに腹腔内投与し、結石形成抑制効果、アディポサイトカインの発現を調べる。

図 3D-4-1 研究計画の書き方（その 1）〔基盤研究（A）〕

❶ 初年度と翌年度以降に分けて書く．
❷ 小見出しをつける．
❸ 研究計画を図示する．
❹ パラグラフごとにライティングする（キラリと輝く申請書⒔ ➡ 069 頁）．
❺ 研究分担者を示す．
❻ サブタイトル（テーマ）の要旨を 2〜3 行で説明する．

平成〇〇年度
❶[1] Mφ機能不全マウス(op/op)へのM-CSF投与による腎結石予防効果
❷・op/opの特徴
　Colony stimulating factor-1 (Csf1)遺伝子の変異を有するop/opは、macrophage-colony stmulating factor 1 (M-CSF)産生が生じないため、単球からのMφの分化誘導が阻害されている。
❷・op/opの繁殖とgenotyping法の確立
　op/opを必要な頭数(op/opと野生型 各30匹程度)まで繁殖する。❹Op/opのgenotypingは、尻尾より抽出したDNAのCsf1変異領域を含むPCRを行い、制限酵素によるPCR産物の断片化をゲル電気泳動にて確認する。また繁殖の間、より簡便で正確なgenotypingのために、TaqMan® probeを用いたSNP typing assayの技術を応用したプライマー・TaqMan® probeの設計を行う。
❷・本実験
　8週齢雄のop/opおよび野生型に対し、腎結石モデルマウスの手法に順じ、シュウ酸前駆物質グリオキシル酸(GOx) 80 mg/kgを6日間腹腔内投与を行う。また組換え型ヒトM-CSF(rhM-CSF)を濃度系列(0.1, 1.0, 5.0, 10 μg/body)にて併行投与する群を設定する。6日目に腎検体・血液の採取と24時間蓄尿を行う。血液検体および尿検体は、結石関連無機物質およびMAGPIXシステムによって約50種類の炎症関連因子をマルチプレックス解析にて同時測定する。腎結石形成は、シュウ酸カルシウム染色(Pizzolato染色)と偏光顕微鏡により同定し、❹画像解析ソフト(Image-Pro®)で定量化する。腎Mφは、マウス染色(F4/80染色)により同定する。関連遺伝子発現については、免疫染色、Western blottingおよび定量PCRによって同定する。(研究期間12ヶ月予定)。

　　　　　　　　　　　　余裕のスペース

平成△△年度以降
❶[2] 結石形成に関わるヒト血中・尿中炎症関連蛋白のマルチプレックス解析
❷❸　ヒトの尿路結石関連物質の探索は、結石および血液・尿データを用いた解析が行われてきたが、個々のタンパク質あるいはプロテオミクス解析による膨大なデータからの総合的な探索が主であったため、真に結石メカニズムの制御因子となる蛋白を同定できた報告は少ない。本研究では、私たちの研究成果に基づき、結石形成・防御に関与するヒトMφ制御因子を探索する。
❷・倫理委員会の承認
　本研究の遂行には名古屋市立大学大学院医学研究科倫理審査委員会での承認が必要となる。

図3D-4-2　研究計画の書き方(その2)〔若手研究〕
❶ 初年度と翌年度以降に分けて書く．　❸ サブタイトルの要旨を再度書く．
❷ 小見出しをつける．　　　　　　　　❹ 先端的研究手法を用いる．

c) 本研究の成果がもたらす効果を示す

- あなたの研究成果によって，どのようなことが明らかになるのか，社会にいかに役立つのか，を示すことが大切です．

- そのために必要なことは，「〇〇を調査する」「△△の測定をする」などで終わるのではなく，「〇〇を調査したあと，□□に応用する」「△△を測定した成果をもとに，××に発展させる」などと書くことです(付録1 ➡ 158頁)．

- 特に，初年度と翌年度以降に分けて書くので，あなたの研究が毎年進展することが伝わるように書きます．例えば，「初年度に△△を測定したデータをもとに，翌年度には国内外の研究者の協力を得て，××の開発に取りかかる」などの書き方です．

Ⅰ. 本研究を遂行する上での具体的な工夫
平成〇〇年度
❶
(1) CGH アレイを用いた解析
❷
ⅰ）対象症例の選定（E 木 F 太, G 沢 H 美）❹

　当科外来で、尿道下裂と診断され手術治療を行った、あるいは予定の症例のうち、陰嚢型および会陰型など重度と判定された 20 症例を選定する。複数の医師により、初診時・手術時所見などを基に、程度判定を行う。本研究ではゲノムを解析対象とするため、G-banding 検査で明らかな染色体異常を有する症例は除外する。また、mRNA など時期によって変動する要因を検討する訳ではないため、解析対象症例の年齢は問わない。対象にふさわしいと考えられた症例のうち、本研究の主旨を説明し、書面で同意が得られた症例のみ解析を行う。

ⅱ）ゲノム DNA サンプル調整（E 木 F 太, G 沢 H 美）❹

　対象症例の末梢血から、専用のキットを用いてゲノム DNA の抽出を行う。抽出した DNA は 50ng/mL 以上の濃度、A260/A280 = 1.9〜2.0 であることを確認し以下の研究に使用する。

ⅲ）CGH array 解析（I 森 J 子, K 林 L 夫, M 本 N 吉）❺

　ゲノム DNA サンプルを制限酵素で切断し、特異的アダプターを付加する。PCR 反応で増幅した DNA をフラグメント化・標識した後に GeneChip Human Mapping 250K array（Affymetrix 社製）にハイブリダイズさせる。1 つのサンプルに対して 2 種類の制限酵素それぞれのアレイを使用するため、一度に 50 万個の SNP 解析が可能であり、全ゲノムの 85% をカバーすることができる。GeneChip Scanner を用いてスキャンを行い、シグナルデータの解析を行う。

ⅳ）データマイニング（I 森 J 子, M 本 N 吉）❺❹

　得られたデータのジェノタイピングを行い、公共データベース上の対照データと比較することにより、染色体コピー数変異および LOH（Loss of Heterozygosity）解析を行う。専用ソフトウェアを使用し、これらの構造多型を認める領域を特定する。

余裕のマージン

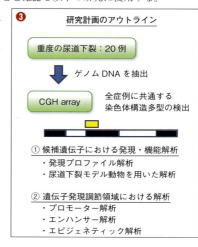
❸

図 3D-4-3　研究計画の書き方（その 3）〔基盤研究（B）〕
❶ 初年度と翌年度以降に分けて書く．　　❹ 研究分担者を示す．
❷ 小見出しをつける．　　　　　　　　　❺ 先端的な研究手法を説明する．
❸ 研究計画を図示する．

3) 適宜文献を引用する

● ここで話したいことは、「研究目的」の内容と同じです．第 3 章 C ➡ 078 頁を再度みてください．すなわち、文献引用はすべての事項に必要ではないこと、冗長になるので多すぎないようにすることです．あなたの研究がすぐれており学術的および社会的に必要であることがわかるように文献を引用します．

4) 焦点を絞り，具体的かつ明確に記述する

● 次に 4 つのポイントを説明します．

● ただ，この項で説明することは，前述の「**2) 申請年度と翌年以降に分けて研究計画**

を書く」で説明したことと似ています．これら2つを合わせて理解し，申請書を書いてください．

a) 本研究で用いる研究手法は，これまで用いてきた研究手法あるいは改良した手法であることを示す

- このことにより，あなたの研究計画はこれまでの研究の延長上にあることがわかり，研究成果の実現性が高いと判断されることでしょう．

b) ユニークな方法論や先端的な実験方法であることをアピールする

- このことにより，あなたの研究の新規性や先端性を示すことになります．それらの方法論がまだ学会でも一般的でない場合には，図表を用いるか，脚注でその意味や重要性を説明します（図3D-5-1，2，3）．その場合，それらをゴシック体あるいはアンダーラインで示すとよいでしょう（第4章 ➡ 154頁）．

c) 実験計画の細部や詳しい研究手法については，限られたスペースに書く

- 研究方法を具体的に書くことは，研究計画の信頼性を高め，研究の実現性への評価を伝えることになるので大切です．また，論文と同じように，申請書で示した研究方法を他人が用いることにより同じ研究成果が再現され，検証されるものでなければなりません．

- 科研費の申請書では，実験計画の細部や詳しい数字，研究手法については，限られたスペースに記述します．

d) 図表，箇条書き，小見出しなどを活用する

- 研究計画が，審査委員にわかりにくいのではないかと思ったときには，図表を用います（図3D-5-1，2，3，4）．

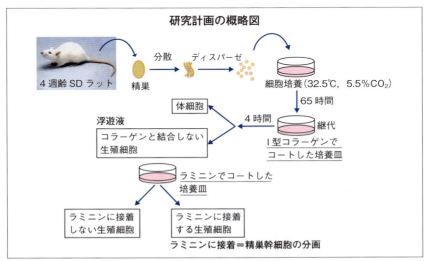

図 3D-5-1　図表を活用する（その1）（若手研究）
本書用にカラーにしている．白黒印刷で判読できるか調べること．

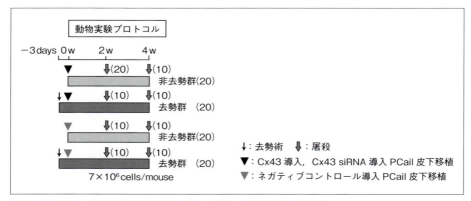

図 3D-5-2　図表を活用する（その 2）〔基盤研究（C）〕
掲載された英語論文の図を作図し直している．英語を日本語にし，必要最低限の文字や字数にしている．

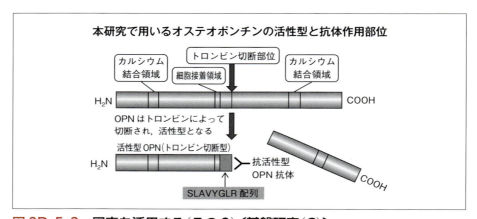

図 3D-5-3　図表を活用する（その 3）〔基盤研究（C）〕
学会スライド（カラー）を申請書用に作図し直している．白黒でも読めるようにした．

- 研究目標（サブタイトル）には小見出しを付けますが，新たなテーマ（パラグラフ）ができたときには，小見出しを付けるとよいでしょう（図 3D-4-1，2）．
- これらにより，審査委員に理解しやすくなるだけでなく，見栄えがよくなります．その仔細な書き方は別に詳しく示しています（第 4 章 ➡ **139 頁**）．

5）研究が当初の計画通りに進まないときの対応に触れる

- これらを書くのは難しいものです．なぜなら，研究をする前から，計画通りに研究が進まないことを誰も考えたくないからです．むしろこれまでの経験や業績を踏まえ，本研究も必ず実現させるとの思いをもつべきでしょう．

図 3D-5-4　図表を活用する（その 4）〔基盤研究（A）〕
　この種の内容は，図表にすれば一見して理解しやすくなる．

- しかし，研究ですから思うように進まないことは，誰にでもあります．しかも貴重な血税を用いた研究です．計画通りに進まなかったときにどのように対処するか，あらゆることを想定して研究を始めることが肝要です．

- 研究をするうえにおいて，周到な準備をすることは，すぐれた研究成果を効率的に生み出す秘訣だと思います（第 1 章 ➡ 019，020 頁）．あなたの貴重な時間が有意義なものになります．

- そのためにも，実現できそうにもない研究計画を立てないことや，申請書に書かないことは言うまでもありません．

6）-1，2　研究計画を遂行するための研究体制と役割を示す

- 科研費では，若手研究は原則 1 人で行います．基盤研究（C）も少人数です．
しかし，昨今の研究は先端化し，細分化しているので，研究内容によっては研究分担者や連携研究者などの共同研究者は欠かせません．

- 科研費が認めている共同研究者は 4 種類あります．それらの共同研究者は，研究種目によって異なるうえに，応募資格や分担金の配分なども異なります．このことは，皆さんはすでにご承知だと思いますが注意してください．

- 共同研究者が多いときや，研究計画が多岐にわたるときには，それぞれの具体的な役割を，図表を用いて示します（図 3D-6-1，2，3）．

- さらに，共同研究者がどの研究目的（サブテーマ）を担当するのか，小見出しのあとに書くと明確になります（図 3D-4-1，2，3）．

- 「書くときの説明事項」で，「若手研究」以外の研究種目では，学術的観点からの研究組織の必要性や妥当性，研究目的との関連性を書くことが求められています．申請書を書くときに若手研究にするか基盤研究にするか，悩みながら原稿を書いた人は提出する前にこのような違いに注意してください．

- なお，このような研究種目によるわずかな違いは，ほかにもみられます．また毎年，わずかずつですが申請書の内容は変化しています．とくに平成 30 年度から大きく変わるので注意してください．毎年申請書の規程を必ず見てください（第 2 章 ➡ 024 頁）．

D　研究計画・方法

研究計画・方法（つづき）
平成△△年度以降の計画

❶ I．ゲノム遺伝子からのアプローチ（新規遺伝子の同定と機能解析）

一次スクリーニング、二次スクリーニングから有意差（p値＜10^{-6}）を得られたタグSNPから、ゲノム遺伝子上近隣の遺伝子を同定し、ヒト腎尿細管細胞、尿路結石形成モデル動物での発現を確認する。遺伝子の性質を蛋白構造から推測し、尿路結石モデルマウス、シュウ酸カルシウム結晶を添加した尿細管細胞での発現変化などで確認し、尿路結石形成時における機能を同定していく予定である。

遺伝子診断法は、数値化の正確性と、診断の迅速性を向上したシステムを確立する。新規遺伝子と機能が同定された後には、遺伝子診断法の候補遺伝子として、結石リスク診断の数値化を行い、既知遺伝子のデータと併せて、遺伝子診断法を確立する。

❶ II．メタボリックシンドロームからのアプローチ

PPARγアゴニスト投与ラットによる結石形成抑制機序を、腎尿細管細胞の分子レベル、肝臓でのシュウ酸関連の代謝酵素(hydroxypyruvate reductase, D-glycerate dehydrogenase, Glyoxylate reductase)活性の測定を用い、詳細に解明する。ob/obマウスでの結石形成機序について詳細に検討し、動脈硬化と結石形成の関連を明らかにする。また、動脈硬化予防からみた、薬剤の結石予防効果を検討し、新薬の開発を行う。

❶ III．腎マクロファージからのアプローチ

尿路結石モデルマウス、ラットでのマクロファージを走査型電子顕微鏡で観察し、特に結石形成初期過程の間質での貪食を画像で捉える。マウス腹腔内から採取したマクロファージを培養し、シュウ酸カルシウム結晶、リン酸カルシウム結晶の貪食作用と、結晶にオステオポンチンなどのマトリクスを添加した場合や、培養液にサイトカインを添加した場合、CD44等の膜レセプターを失活させた場合などでの貪食効果を検討し、機能を解析する。グリオキシル酸を投与したop/opマウスで腎の結石形成を詳細に解明することで、マクロファージの機能を明らかにする。これらの結果を用いて、形成初期段階の微小結石（結晶）を消失させる治療法の開発を行う。

❶ IV．リン代謝からのアプローチ

平成□□年度に引き続き、リン酸カルシウム結晶からシュウ酸カルシウム結石への形成機序を電子顕微鏡的、組織学的に検討していく。尿細管でのNTPを制御する遺伝子群についても尿路結石形成時の発現について検討していく。

（余裕のスペース）

◆研究が当初計画どおりに進まないときの対応

3年間の研究予定期間を設定するにあたり、隔週の研究ミーティングで各アプローチの進行状況を確認する。毎月、当大学内の研究報告会で、研究計画と進捗状況を報告し、計画の妥当性と進捗状況を客観的に評価し、十分な進捗が得られない場合は学内外の専門家より適切な指示を受ける体制を整えている。

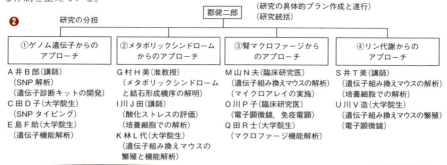

図 3D-6-1　研究体制の図示（その1）〔基盤研究（A）〕
図 3D-4 で示したものと同じ研究．
❶ 本文の小見出しでも示したように研究が4つからのアプローチになっている．
❷ それを基にして，研究体制をこのように整理すると研究内容そのものもわかりやすい．

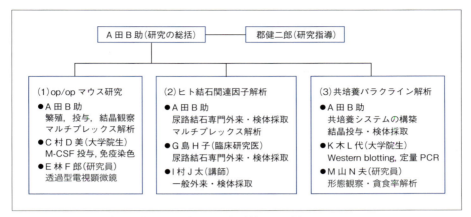

図 3D-6-2　研究体制の図示（その2）（若手研究）

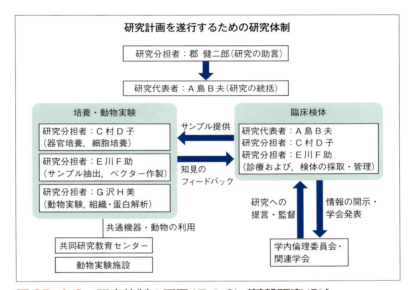

図 3D-6-3　研究体制の図示（その3）〔基盤研究（B）〕

- あなたの共同研究者のレベルが高ければ，研究業績が高まり，研究計画がすぐれたものになります．しかし，審査委員は，共同研究者が，あなたの申請書にどれほど関与しているかは容易にわかるものです．共同研究者の業績やアイデアを，無理をしないで書いてください．

- また，申請書を書くときになって突然に，すぐれた研究者が共同研究者になってくれるわけではありません．日頃からよき研究者と共同研究することを勧めます（第1章 ➡ 018頁）．なお，最近では海外の研究者との共同研究や論文執筆が求められています．国際的視野をもってください．

D　研究計画・方法

E 準備状況および研究成果を社会・国民に発信する方法

・Point・

➤ 次の3点を項目別に，小見出しをつけて書く（図 3E-1）．

1) **本研究に使用する研究施設・設備・研究資料など，現在の状況**
   - 本項は，「科研費が採択される3要素」の「業績」を示す．
   - 書くポイントは，本研究はこれまでの研究の延長線上にあることを示すこと．
   - 本研究は計画通りに達成できることを，審査委員に知ってもらう．
   - 「研究業績」では書けないこと，例えば，論文には至っていない成果をアピールできる絶好の機会であるととらえる．
   - 本研究は，a）既存の設備を用い効率よく研究ができること，
     　　　　　b）操作が難しい機器の使用に精通していること，
     　　　　　c）先端的な研究手法をマスターしていること，
     　　　　　d）それら3つを具体的な研究機器や手法の名前を挙げて説明する．

2) **研究分担者との連絡状況，研究着手に向けての状況**
   - 「若手研究」の共同研究者は研究協力者だけで，基盤研究と異なる．
   - 共同研究者との連携方法やその内容を書く（第3章 D ➡ 111頁）．
   - 海外や学外と共同研究していることから，あなたの研究に重みをもたせる．

3) **本研究の成果を社会・国民に発信する方法など**
   - 科研費「公募要領」を参考にすると，以下の4つがポイントとなる．
     ① 公的資金の研究成果は，社会にわかりやすく説明することが求められていること，また研究の財源が公的資金なので，使い方が公正で，研究成果が社会に還元されること
     ② 国立情報学研究所ではデータベース（KAKEN）などで広く公開されること
     ③ 社会に発信するホームページ，パンフレットの費用は直接経費で可能なこと，その他市民公開講座，マスメディアの活用などを書くこと
     ④ 成果発表における謝辞の書き方は，「公募要領」に指示されていること

I 基本編

1 書く前の注意点

- まず初めに，注意すべきことがあります．「研究目的と研究計画」は，すべての研究種目で同じですが，この項からは，「基盤研究」と「若手研究」とで，並ぶ順序や記載する内容が多少異なります．

- 申請書の「書くときの説明事項」で指示されたように，次の3点（ 2 ， 3 ， 4 ）を書きます．したがって，項目別に，小見出しをつけて書くのがよいでしょう（図3E-1）．

2 本研究を実施するために使用する研究施設・設備・研究資料など，現在の研究環境の状況

- 本項では，「科研費が採択される3要素」の「業績」をしっかり示してください．

- 本項を書くポイントは，本研究計画は，すでにあなたが行っている研究の延長線上にあることを示すことです．そのことにより，本研究が計画通りに達成できるであろうことを審査委員にわかるようにします．「研究目的」と「研究計画」ですでに，これらの意味合いをこめて書きましたが，本項で改めて具体的に書きます．

- 「研究業績」では書けないこと，例えば，学会発表の内容やまだ論文に至っていない成果をアピールできる機会だととらえてください（キラリと輝く申請書15 ➡116頁）．

- 本研究は，a) 既存の設備を用い効率よく研究ができること，b) 操作が難しい機器の使用に精通していること，c) 先端的な研究手法をマスターしていること，d) それら3つを具体的な研究機器や研究手法の名前を挙げて説明します．

3 研究分担者（若手研究では研究協力者）がいる場合には，その者との連絡調整状況など，研究着手に向けての状況（連携研究者および研究協力者がいる場合も必要に応じて記述）

- 「若手研究」は1人で行うので共同研究者は研究協力者だけです．「基盤研究」と異なるので注意してください．

- 本項では，共同研究者との連携方法やその内容を書きます．特に，これまでの連絡状況に加えて，本研究期間中の予定について簡潔に触れます（第3章D ➡111頁）．

- 海外や学外の共同研究者がいれば書いてください．あなたの研究に重みが増すでしょう．

4　本研究の研究成果を社会・国民に発信する方法など

- いろいろな発信方法があることでしょうが，科研費「公募要領」を参考にすると，以下の4つがポイントです．

> 1) **4頁** 公的資金の研究成果は，広く社会・国民にできるだけわかりやすく説明することが求められています．また研究の財源が公的資金である以上，使い方が公正であり，研究成果が社会に還元されることは必須です．

> 2) **4頁** 国立情報学研究所ではデータベース（KAKEN）などで広く公開されています．

> 3) **8頁** 研究成果を社会・国民に発信する手段としてホームページ，広報用パンフレットの費用への直接経費ができることが示されています．その他市民公開講座，マスメディアの活用などを書きます．

> 4) **8頁** なお，成果発表における謝辞の書き方は，「公募要領」によると以下のように指示されています．
> ［英文］This work was supported by JSPS KAKENHI Grant Number 15K45678.
> ［和文］本研究は JSPS 科研費 15K45678 の助成を受けたものです．

キラリと輝く申請書 15　自己アピールはどの程度するか

　自分のことを語らないのが，日本人の美徳とされてきました．自分のことを語らずとも，いずれ周りの人はわかってくれるとの思いで黙々と努力するのが日本人の特徴でした．私も，子供のころからそのような生き方を教えられてきました．

　皆さんは，「研究業績はある程度できた．研究計画は独創性がある．だから審査委員にはそのよさをわかってもらえるだろう」と思いながら申請書を書いていることでしょう．しかし，審査委員が，あなたの研究のおもしろさや新規性を1回読んだだけで理解できると思ってはいけません．申請書の内容が理解できなかったとき，その申請書は何が特色なのかと親切にもう一度じっくり読まれる審査委員は少ないと思います．多くの申請書のなかで，審査委員は1つひとつの申請書をじっくり読みかえす時間はありません．

　そこで，申請書を書くに当たっては，自分の研究がすぐれていることを書くチャンスが与えられたとの思いで，謙虚深くもしっかりと自己アピールをしてください．

II 実践編

1 書き方の実例（図 3E-1）

- 第 3 章 E～K 項は，これまでの第 3 章 A～D 項に比べると，どちらかと言うと実務的な内容になります．したがって，評定基準も低く，審査委員もあまり重きをおいてないように思います．

- 申請者も第 3 章 A～D 項に精力を使いはたしているのか，ぞんざいな記述が散見されます．それでは第 3 章 A～D 項までの苦労が無駄になります．もう一度気合いを入れて「見栄え」のよい申請書を作成してください．

基盤 C（一般）-5

今回の研究計画を実施するに当たっての準備状況及び研究成果を社会・国民に発信する方法

本欄には，次の点について，焦点を絞り，具体的かつ明瞭に記述してください．
① 本研究を実施するために使用する研究施設・設備・研究資料等，現在の研究環境の状況．
② 研究分担者がいる場合には，その者との連絡調整状況など，研究着手に向けての状況（連携研究者及び研究協力者がいる場合についても必要に応じて記述してください．）
③ 本研究の研究成果を社会・国民に発信する方法等

❶①本研究を実施するために使用する研究施設・設備・研究資料等、現在の研究環境の状況
　本研究は、本医学研究科内の泌尿器科研究室、共同研究室および動物実験研究施設において行う。❷研究設備は、主に共同研究室の既存の物を用いる。❸それらを用いた DNA 操作や動物実験に精通している。❹研究資料は、現在教室としての研究テーマとして現在進行形で遂行されているので、蓄積はすでにある。また一部の研究については、国内共同研究者もしくは業者への委託研究により行う予定である。

❶②研究分担者がいる場合には、その者との連絡調整状況など、研究着手に向けての状況
　本研究は、従来当研究室に存在する排尿機能研究グループの協力を得ながら行い、必要な専門的知識については、❺共同研究者の Queen's University の Karen McClosky 氏より適宜助言をもらいながら研究を遂行する。

❶③本研究の研究成果を社会・国民に発信する方法等
　本研究によって得られた知見は、❻国内外での関連学会での発表、海外雑誌への論文発表を行う予定である。また本研究成果は、❼臨床応用の可能性が大きいため、マスメディアやインターネットを通じて、さらには市民公開講座の機会を設け、積極的に社会・国民へのアピールおよび還元を考えたい。

図 3E-1　書き方の実例〔基盤研究（C）〕

❶ 3 つの項目別に小見出しをつけて説明する．
❷ 設備は既存のものを用いることを示す．
❸ 設備に精通していることを示す．
❹ 研究資料は調っていることを示す．
❺ 国内外の専門家との共同研究であることに触れる．
❻ 学会発表の予定にふれる．
❼ 社会への発信の方法を説明する．

F 研究業績

・Point・

1) 「研究業績」は科研費が採択される第一歩である
    - 本項では，「科研費が採択される3要素」の，「業績」を強く示す．
    - 審査委員が，審査で重要と考えるのは「研究業績」（表1-1 ➡ 004頁）．
    - 審査委員が申請書を読む順序は，研究課題，研究目的（概要），次いで「研究業績」である．
    - 「研究業績」を重視するのは，「研究計画」の実現能力を判断するためである．

2) 書き方のポイント
    - まず初めに，研究組織すべての構成員の研究業績を集める．
    - それらのなかから，研究課題に関連する業績をピックアップする．
    - 研究代表者および研究分担者の業績と，連携研究者の業績とに分ける．
    - 発表年の新しい順に並べる．
    - 業績が多いときには重要な研究業績に絞り，2頁以内に必ず収める．

3) 重要な変更点
    - 毎年，申請書の書き方には変更点があるので「公募要領」を調べる．
    - 平成27年度から，「過去5年以前の業績でも論文等（10件以内）を記入できる」となった．

4) あなたの研究業績が少ないときにどうするか？
    - 研究業績は，あなたの日頃の研究活動を表すバロメーターである．
    - この欄が乏しいと採択率がかなり落ちる．
    - あなたがまだ把握していない研究業績を探す．
    - 研究分担者・連携研究者に研究業績の助けを求める．
    - しかし，上記の方法はあなたの業績が少ないことを暴露し，研究自体も指導者からの受け売りではないかと思われかねない．
    - まだ論文になっていない研究成果は，「準備状況」や「研究目的」に書く．

5) 「研究業績」にも「見栄え」が大切
    - 同じ研究業績でも，書き方を工夫すれば，中身が一段とよくなる．
    - そのポイントを表3F-1，図3F-2に示す．

6）書き方の実例（図 3F-2）
① 現在から順に過去にさかのぼる．
② 発表年（暦年）ごとに線を引いて区別（線は移動可）する
③ 業績に通し番号を付ける
④ 発表論文の場合，論文名，著者名，掲載誌名，査読の有無，巻，最初と最後の頁，発表年（西暦）を書く
⑤ 研究代表者には二重下線，研究分担者には一重下線を付ける
⑥ 連携研究者には点線下線を付け，研究代表者，研究分担者のあとに書く
⑦ 日本語の論文や総説も書くが，英語論文のほうが重みがあるので優先する
⑧ 掲載受理の論文は書くが，投稿中の論文は書かない
⑨ 産業財産権などは重要なので，取得していれば特許出願番号などを書く

I 基本編

1 「研究業績」は科研費が採択される第一歩である

- 「科研費が採択される3要素（アイデア・業績・見栄え）」のうち，「業績」を最も強く示すことができるのが「本項」です．

- 私が数年前，審査委員の方々に行ったアンケートによると，審査において最も重要と考えるのは「研究目的」や「研究計画」ではなく，「研究業績」でした（表1-1 ➡004頁）．

- また，申請書を読む（見る）順序は，研究課題，研究目的（概要）で，その次が「研究業績」との意見が大半でした．

- このように，審査委員が「研究業績」を重視するのは，あなたに「研究計画」を実現できる能力があるのかどうかを判断するためです．一定レベルの研究成果を発信していると，審査委員に「この人なら研究期間内に成果を出せるだろう」と思わせることになります．

2　書き方のポイント

- まず初めに，研究代表者，研究分担者，連携研究者を問わず，研究組織の構成員の研究業績を集めます．それらの中から，あなたの研究課題に関連する研究業績をピックアップします．
- 次いで，研究代表者および研究分担者の業績と，連携研究者の業績とに分け，発表年の新しい順に並べます．業績が多いときには，重要だと思われる研究業績に絞って，必ず2頁以内に収まるように記載してください．
- 英語論文リストを一見して，立派な業績だなと感じるときは，表 3F-1 に示す点が備わっています．

表 3F-1　「研究業績」も見栄えで中身をアップ

① 字形
② 文字の間隔
③ 行間のとり方
④ 通し番号のつけ方と左マージンのとり方
⑤ 自分の名前を太文字にするか斜体にするか（細字でもよい）
⑥ 論文タイトルは，最初だけ大文字にするか否か
⑦ 論文と論文の間隔と行間とのつりあい

- これらはいずれも，申請者それぞれの好みがあるので，どうすればよいか画一的には言えません．いろいろ工夫をしてください．
- ただ，同じ論文リストなのに，違うリストのように生まれ変わる実例を示します（図 3F-2-1, 2）．参考にしてください．
- 「字形」による違いを示します（図 3F-1）．私は Century または Times を用いています．同じ Times でも 4 つを TPO で使い分けます．

3　重要な変更点

- 毎年，申請書の書き方には数点の変更点があります．それらは「公募要領」の冒頭に詳しく書かれていますので，必ず読んでください．
- 平成 27 年度の公募から変更されたことの 1 つが，「過去 5 年以前の業績であっても本研究に深く関わるものや，今までに発表した主要な論文等（10 件以内）を記入しても構いません」という文言が追加されたことです．
- 平成 26 年度までは，過去 5 年以内の業績との制限がありました．しかし，申請する研究に関係する研究業績は，必ずしも過去 5 年以内の研究業績だけに限られていません．それらの意見を踏まえて変更されたのでしょう．

Century	Kohri K. Colony-stimulating factor-1 signaling suppresses renal crystal formation. J Am Soc Nephrol 25: 1680-97. 2014（査読有り）
MSゴシック	Kohri K. Colony-stimulating factor-1 signaling suppresses renal crystal formation. J Am Soc Nephrol 25: 1680-97. 2014（査読有り）
MS明朝	Kohri K. Colony-stimulating factor-1 signaling suppresses renal crystal formation. J Am Soc Nephrol 25: 1680-97. 2014（査読有り）
Arial	Kohri K. Colony-stimulating factor-1 signaling suppresses renal crystal formation. J Am Soc Nephrol 25: 1680-97. 2014（査読有り）
Courrier	Kohri K. Colony-stimulating factor-1 signaling suppresses renal crystal formation. J Am Soc Nephrol 25: 1680-97. 2014（査読有り）
Geneva	Kohri K. Colony-stimulating factor-1 signaling suppresses renal crystal formation. J Am Soc Nephrol 25: 1680-97. 2014（査読有り）
Times	Kohri K. Colony-stimulating factor-1 signaling suppresses renal crystal formation. J Am Soc Nephrol 25: 1680-97. 2014（査読有り）
Times	**Kohri K. Colony-stimulating factor-1 signaling suppresses renal crystal formation. J Am Soc Nephrol 25: 1680-97. 2014**（査読有り）
Times	*Kohri K. Colony-stimulating factor-1 signaling suppresses renal crystal formation. J Am Soc Nephrol 25: 1680-97. 2014*（査読有り）
Times	*Kohri K. Colony-stimulating factor-1 signaling suppresses renal crystal formation. J Am Soc Nephrol 25: 1680-97. 2014*（査読有り）

図 3F-1　字形による見え方の違い
あなたはどれが好みですか？　TPO に応じて使い分けをする．

4　あなたの研究業績が少ないときにどうするか？

- 研究業績は，あなたの日頃の研究活動を表すバロメーターです．この欄が乏しいと採択率がかなり落ちます．今ここで慌てても仕方ありませんが，何かできることはないのか考えましょう．あなたも，書けるものがないか絞り出してください．

- 1つは，あなたがまだ把握していない研究業績を探すことです．例えば，研究チームの仲間の論文が受理されているケースです．そのような業績は意外にも多くが見過ごされています．

- もう1つは，研究分担者・連携研究者に研究業績の助けを求めることです．しかし，この方法は緊急処置です．あなた自身の業績が少ないことを暴露しており，あなたの研究自体も指導者の受け売りではないかと思われかねません．痛し痒しの方策です．この点をよく考えて書いてください．

- まだ論文になっていない研究成果は「準備状況」や「研究目的」に書くことにより，あなたにはすでに十分な準備と研究への熱意があることをアピールするのです．
- 斬新なアイデアの研究計画であれば，業績を問わない「挑戦的研究（萌芽）」に応募する道もあります．しかし，その道には，基盤研究（A，B）の研究代表者が多数応募しており，採択はかなり厳しいです．
- 今から研究に励んで来年に備えてください（キラリと輝く申請書 4，5，16 ➡ 022, 122頁）．

キラリと輝く申請書 16　熱意こそ採択への道

　科研費を採択されるには何が最も重要か？
　本書では，各所に「○○が採択への第一歩」と言った類いの表現が出てきます．
　○○に当てはまるものを思い出してみると，まずは本書のタイトルになっている「3要素（アイデア，業績，見栄え）」であり，次いで「審査委員がわかりやすい申請書」，「科研費の公募要領をマスターすること」，「申請書を必ず提出すること」などがあります．
　私自身も，一体何が最も大切なのかと考えこんでしまいますが，本書の性格上言わせていただければ，「各所で書いたすべてが採択されるための必須条件」です．
　さらに話は複雑になりますが，もう1つ，<u>「熱意こそ科研費が採択される道」</u>であることを話します．
　私は，科研費のセミナーなどの最後には，この言葉を必ず言うことにしています．たとえ「アイデア，業績，見栄え」がなくとも，誰にでも熱意はあるはずです．逆に，前述の○○がすべて備わっていても，熱意のない人は採択されることはありません．

　では，科研費における「熱意」とはどんなものでしょうか？
　皆さんの日頃の研究への熱意が最も大切ですが，観点を変えて，①上司の指導，②研究グループのチームワーク，③共同研究者からの支援，について考えたいと思います．
　<u>私は，教室には2つのチェックリストを用意していました．1つは，申請書提出前のチェックリスト</u>で，それは一部改変して本書に載せています ➡ xxii頁．もう1つは，<u>研究者が申請書を作成してから完成するまでのプロセスを示すリスト</u>です．私が，申請書が完成するまで何回か校正する過程で，研究グループのなかで話し合うリストです．
　研究にはチームワークが大切です．研究だけでなく，研究グループで申請書をブラッシュアップする熱意が大切です．なお，③共同研究者については第1章に詳述しています ➡ 018頁（キラリと輝く申請書 2 ➡ 014頁）．

　<u>最後に，経済界の著名人の言葉を引用します．</u>
- 「2階に上がるハシゴは，熱意のある人だけが考えつく」
（江口克彦：成功の法則　松下幸之助はなぜ成功したか．PHP研究所，2000）
- 「人生・仕事の結果は，**考え方×熱意×能力**という1つの方程式で表せる」
（<u>稲盛和夫：働き方．三笠書房，2009</u>）

II 実践編

1 書き方の実例（図 3F-2）

1) 並ぶ順序は，現在から順に過去にさかのぼります（図 3F-2-1, ❶）．

2) 発表年（暦年）ごとに線を引いて区別（線は移動可）します（図 3F-2-1, ❷）．

3) 業績に通し番号を付けます（図 3F-2-1, ❸）．

4) 発表論文の場合，論文名，著者名，掲載誌名，査読の有無，巻，最初と最後の頁，発表年（西暦）を書きます（図 3F-2-1, ❹）．

5) 研究代表者には二重下線，研究分担者には一重下線，連携研究者には点線の下線を付けます（図 3F-2-1, ❺）．

6) 連携研究者の業績は，研究代表者，研究分担者のあとに書きます．

7) 研究代表者および研究分担者の研究業績として書いたものは，連携研究者の業績欄には書きません．

8) 日本語の論文や総説も書きます．ただし英語論文は重みがあるので優先します．

9) 掲載受理の論文も書きます．ただし投稿中の論文はこの項には書かず，「研究目的」や「準備状況」のなかで触れます（図 3F-2-1, ❻）．

10) 業績のなかで，特記すべきことがあれば付記します（図 3F-2-1, ❼）．

11) 産業財産権などの知的財産権は重要になっています．取得（成立）していれば特許出願番号などを書きます．

12) 業績がない年度は「なし」と書きます．

基盤 A・B（一般）－7

研　究　業　績

　本欄には，研究代表者及び研究分担者がこれまでに発表した**論文、著書、産業財産権、招待講演**のうち，本研究に関連する重要なものを選定し，現在から順に発表年次を過去にさかのぼり，発表年（暦年）毎に線を引いて区別（線は移動可）し，通し番号を付して記入してください。なお，学術誌へ投稿中の論文を記入する場合は，掲載が決定しているものに限ります。

　また，必要に応じて，連携研究者の研究業績についても記入することができます。記入する場合には，二重線を引いて区別（二重線は移動可）し，現在から順に発表年次を過去にさかのぼり記入してください（発表年毎に線を引く必要はありません。）。

　なお，研究業績については，主に2010年以降の業績を中心に記入してください。それ以前の業績であっても本研究に深く関わるものや今までに発表した主要な論文等(10件以内)を記入しても構いません。

①例えば発表論文の場合，論文名，著者名，掲載誌名，査読の有無，巻，最初と最後の頁，発表年（西暦）について記入してください。

②以上の各項目が記載されていれば，項目の順序を入れ替えても可。**著者名が多数にわたる場合は，主な著者を数名記入し以下を省略（省略する場合，その員数と，掲載されている順番を○番目と記入）しても可。なお，研究代表者には二重下線，研究分担者には一重下線，連携研究者には点線の下線を付けてください。**

2014 以降

❶

1. Taguchi K, Okada A(Corresponding Author), Kitamura H, Yasui T, Naiki T, Hamamoto S, Ando R, Mizuno K, Kawai N, Tozawa K, Asano K, Tanaka M, Miyoshi I, Kohri K. Colony-stimulating factor-1 signaling suppresses renal crystal formation. J Am Soc Nephrol 25:1680-97. 2014(査読有り)

2. Zuo L, Tozawa K, Okada A(Corrensponding Author), Yasui T, Taguchi K, Ito Y, Hirose Y, Fujii Y, Niimi K, Hamamoto S, Ando R, Itoh Y, Zou J, Kohri K. A Paracrine Mechanism Involving Renal Tubular Cells, Adipocytes and Macrophages Promotes Kidney Stone Formation in a Simulated Metabolic Syndrome Environment. J Urol. 2014. [Epub ahead of print](査読有り)

3. Hamamoto S, Yasui T, Okada A, Koiwa S, Taguchi K, Itoh Y, Kawai N, Hashimoto Y, Tozawa K, Kohri K. Efficacy of Endoscopic Combined Intrarenal Surgery in the Prone Split-Leg Position for Staghorn Calculi. J Endourol. 2014. [Epub ahead of print](査読有り)

4. Niimi K, Yasui T, Okada A, Hirose Y, Kubota Y, Umemoto Y, Kawai N, Tozawa K, Kohri K. Novel effect of the inhibitor of mitochondrial cyclophilin D activation, N-methyl-4-isoleucine cyclosporin, on renal calcium crystallization. Int J Urol. 2014;21:707-13. (査読有り)

2013

5. Okada A, Yasui T, Taguchi K, Niimi K, Hirose Y, Hamamoto S, Ando R, Kubota Y, Umemoto Y, Tozawa K, Sasaki S, Hayashi Y, Kohri K. Impact of official technical training for urologists on the efficacy of shock wave lithotripsy. Urolithiasis 41:487-92.2013(査読有り)

図 3F-2-1　書き方の実例①〔基盤研究（B）〕

❶ 現在から順に過去にさかのぼる．
❷ 発表年ごとに区別（線は移動可）する．
❸ 業績に通し番号を付ける．
❹ 論文名，著者名，掲載誌名，査読の有無，巻，最初と最後の頁，発表年（西暦）を書く．
❺ 研究代表者には二重下線，研究分担者には一重下線を付ける．
❻ 掲載受理の論文も書く．
❼ 特記すべきことがあれば付記する．

● 図 3F-2-1 の例は，基本的な規程に従って書いたものです．しかし同じ研究業績でも「見栄え」を少しでもよくすることにより，研究業績の中身までよく見えることがあります．その実例を図 3F-2-2 に示します．

基盤A・B（一般）－7

研究業績

本欄には、研究代表者及び研究分担者がこれまでに発表した**論文、著書、産業財産権、招待講演**のうち、本研究に関連する重要なものを選定し、現在から順に発表年次を過去にさかのぼり、発表年（暦年）毎に線を引いて区別（線は移動可）し、通し番号を付して記入してください。なお、学術誌へ投稿中の論文を記入する場合は、掲載が決定しているものに限ります。

また、必要に応じて、連携研究者の研究業績についても記入することができます。記入する場合には、二重線を引いて区別（二重線は移動可）し、現在から順に発表年次を過去にさかのぼり記入してください（発表年毎に線を引く必要はありません。）。

なお、研究業績については、主に2010年以降の業績を中心に記入してください。それ以前の業績であっても本研究に深く関わるものや今までに発表した主要な論文等（10件以内）を記入しても構いません。

①例えば発表論文の場合、論文名、著者名、掲載誌名、査読の有無、巻、最初と最後の頁、発表年（西暦）について記入してください。

②以上の各項目が記載されていれば、項目の順序を入れ替えても可。著者名が多数にわたる場合は、主な著者を数名記入し以下を省略（省略する場合、その員数と、掲載されている順番を○番目と記入）しても可。なお、研究代表者には二重下線、研究分担者には一重下線、連携研究者には点線の下線を付してください。

2014以降 ❹

1. Taguchi K, **Okada A(Corresponding Author)**, Kitamura H, Yasui T, Naiki T, Hamamoto S, Ando R, Mizuno K, Kawai N, Tozawa K, Asano K, Tanaka M, Miyoshi I, Kohri K. ❺ Colony-stimulating factor-1 ❶ signaling suppresses renal crystal formation. J Am Soc Nephrol 25:1680-97. 2014（査読有り）

2. Zuo L, Tozawa K, **Okada A(Corrensponding Author)**, Yasui T, Taguchi K, Ito Y, Hirose Y, Fujii Y, Niimi K, Hamamoto S, Ando R, Itoh Y, Zou J, Kohri K. A Paracrine mechanism involving renal tubular cells, adipocytes and macrophages promotes kidney stone formation in a simulated metabolic syndrome environment. J Urol. 2014. [Epub ahead of print]（査読有り）

❸
3. Hamamoto S, Yasui T, **Okada A**, Koiwa S, Taguchi K, Itoh Y, Kawai N, Hashimoto Y, Tozawa K, Kohri K. Efficacy of endoscopic combined intrarenal surgery in the prone split-leg position for staghorn calculi. J Endourol. 2014. [Epub ahead of print]（査読有り）

4. Niimi K, Yasui T, **Okada A**, Hirose Y, Kubota Y, Umemoto Y, Kawai N, Tozawa K, Kohri K. Novel effect of the inhibitor of mitochondrial cyclophilin D activation, N-methyl-4-isoleucine cyclosporin, on renal calcium crystallization. Int J Urol. 2014;21:707-13.（査読有り）

2013
5. **Okada A**, Yasui T, Taguchi K, Niimi K, Hirose Y, Hamamoto S, Ando R, Kubota Y, Umemoto Y, Tozawa K, Sasaki S, Hayashi Y, Kohri K. Impact of official technical training for urologists on the efficacy of shock wave lithotripsy. Urolithiasis 41:487-92.2013（査読有り）

図3F-2-2　書き方の実例②〔基盤研究（B）〕

❶ 左へ．ただし余白を大切にする．
❷ 本人の名前を太文字にする．
❸ 論文と論文の間隔を調整する．
❹ 字形を変える（Timesに）．
❺ 論文タイトルのはじめだけ大文字にする．

- 図3F-2-1と図3F-2-2との主な違いは，字形をCourrierからTimesに変えたことです．その結果，全体にしまりができて，「見栄え」がよくなったため，「業績」までもがよくなったように見えます．

- 例えば，文献1は4行から3行になったように，Timesは，文献が多い研究者向けの字形だと思います．

第3章 申請書の書き方

G これまでに受けた研究費とその成果等

> **・Point・**
>
> ➤ 本項では，「科研費が採択される3要素」の「業績」を示すところ ➡ 005頁．
> ➤ 熟達した研究者では必須の項目である（若手研究にはこの項目はない）．
> ➤ あなたのこれまでの研究への取り組みや能力をアピールする．
>
> **1）書き方のポイント**（図3G-1，2）
> - 研究代表者だけでなく，研究分担者として参画した課題も書く．
> - 所属機関，府省・地方公共団体・研究助成法人などの研究費も書く．
> - 研究種目名，期間，課題名，研究代表者と研究分担者の別，研究経費を書く．
> - 研究成果および中間・事後評価，結果を簡潔に書く．
> - 科研費のあとに，科研費以外の研究費を線を引いて区別して書く．

I 基本編

1 書き方のポイント

- 本項は，「科研費が採択される3要素」の「業績」を示すところです ➡ 005頁．熟達した研究者では必須の項目です（若手研究にはこの項目はありません）．

- 研究代表者だけでなく，研究分担者として参画した課題も書きます．

- 科研費だけでなく，所属機関より措置された研究費，府省・地方公共団体・研究助成法人・民間企業などからの研究費も含まれるので，選択肢は広がります．

- それらの実績は，あなたのこれまでの研究への取り組みや能力をアピールすることになります（キラリと輝く申請書15 ➡ 116頁）．

- それぞれの研究費ごとに，研究種目名，期間（年度），研究課題名，研究代表者または研究分担者の別，研究経費（直接経費）を記入のうえ，研究成果および中間・事後評価，結果を簡潔に書きます．

- はじめに科研費を，そのあとにその他の研究費と線を引いて書きます．

Ⅱ 実践編

1 書き方の実例（図 3G-1, 2）

基盤 A・B（一般）－10

これまでに受けた研究費とその成果等

本欄には、研究代表者及び研究分担者がこれまでに受けた研究費（科研費、所属研究機関より措置された研究費、府省・地方公共団体・研究助成法人・民間企業等からの研究費等。なお、現在受けている研究費も含む。）による研究成果等のうち、本研究の立案に生かされているものを選定し、科研費とそれ以外の研究費に分けて、次の点に留意し記述してください。
① それぞれの研究費毎に、研究種目名（科研費以外の研究費については資金制度名）、期間（年度）、研究課題名、研究代表者又は研究分担者の別、研究経費（直接経費）を記入の上、研究成果及び中間・事後評価（当該研究費の配分機関が行うものに限る。）結果を簡潔に記述してください（平成 25 年度又は平成 26 年度の科研費の研究進捗評価結果がある場合には、基盤 A・B（一般）－11「研究計画と研究進捗評価を受けた研究課題の関連性」欄に記述してください。）。
② 科研費とそれ以外の研究費は線を引いて区別して記述してください。

❶【科研費】❷
❸1. 研究種目名：文部科学省科学研究費補助金　挑戦的萌芽(25670685)❹　期間：平成 25 年～平成 27 年度
❺研究課題：「腎結石の自然消失」という新しい概念の樹立と溶解療法の開発への応用
❻研究代表者：A 村 B 太　研究経費（直接経費）：2,800 千円
❼研究成果：腎結石の新たな防御因子としてマクロファージの機能解析を行っていることを解明した。

2. 研究種目名：文部科学省科学研究費補助金　基盤 C(25462524)　期間：平成 25 年～平成 27 年度
研究課題：NFκB 活性化阻害剤を用いた尿路結石抑制機構の解明と臨床応用
研究代表者：C 川 D 美　研究経費（直接経費）：3,900 千円
研究成果：NFκB 活性化阻害剤の抗炎症作用による結石形成抑制機序を解明した。

8. 研究種目名：文部科学省科学研究費補助金　基盤 C(20591887)　期間：平成 20 年度～平成 22 年度
研究課題名：尿路結石形成時の酸化ストレス発生機序の解明と遺伝子組み換えマウスを用いた機能解析
❽研究代表者：E 林 F 夫　研究経費（直接経費）：3,600 千円
研究成果：酸化ストレスによる OPN の発現が尿路結石形成に関与していることを、世界に先がけて報告した。

❶【科研費以外】❷
公益財団法人　市原国際奨学財団　平成 25 年度研究助成：平成 25 年　❾線をつける
研究課題：メタボリックシンドロームにおける腎結石形成機序の解明と予防因子の同定
研究代表者：G 木 H 子　研究経費（直接経費）：500 千円
研究成果：メタボリックシンドローム環境下の尿路結石形成機序をオステオポンチンの作用から見い出した。

図 3G-1　書き方の実例①

❶ 科研費とそれ以外に分けて書く.
❷ 項は、ゴシック体と【 】でしまりをもたせる.
❸ 研究種目，期間，課題名などを書く.
❹ 研究番号を入れるのがよい.
❺ 左を揃えてスッキリさせる.
❻ 代表か分担かを書く.
❼ 研究成果を略記する．ただし研究費が少ない人は数行にわたって成果を書く.
❽ 研究分担者の研究費も書く.
❾ 線は自由につけることができる（「概要」では動かすことはできない）.

G　これまでに受けた研究費とその成果等

基盤 C（一般）－ 8

> **これまでに受けた研究費とその成果等**
> 　本欄には、研究代表者及び研究分担者がこれまでに受けた研究費（科研費、所属研究機関より措置された研究費、府省・地方公共団体・研究助成法人・民間企業等からの研究費等。なお、現在受けている研究費も含む。）による研究成果等のうち、本研究の立案に生かされているものを選定し、科研費とそれ以外の研究費に分けて、次の点に留意し記述してください。
> ①それぞれの研究費毎に、研究種目名（科研費以外の研究費については資金制度名）、期間（年度）、研究課題名、研究代表者又は研究分担者の別、研究経費（直接経費）を記入の上、研究成果及び中間・事後評価（当該研究費の配分機関が行うものに限る。）結果を簡潔に記述してください。（平成 23 年度又は平成 24 年度の科研費の研究進捗評価結果がある場合には、基盤 C（一般）－ 9「研究計画と研究進捗評価を受けた研究課題の関連性」欄に記述してください。）
> ②科研費とそれ以外の研究費は線を引いて区別して記述してください。。
>
> ❶【科研費】
> ❷ 1. **基盤研究 C**（平成 23 年度～平成 24 年度）過活動膀胱における膀胱粘膜下微小循環の変化と KIT 陽性間質細胞の役割（研究代表者）3,300 千円
> 　2. **基盤研究 C**（平成 21 年度～平成 22 年度）過活動膀胱の発症に関わる KIT-SCF 遺伝子の一塩基遺伝子多型解析（研究代表者）3,300 千円
> 　3. **若手研究 B**（平成 19 年度～平成 20 年度）過活動膀胱の膀胱興奮性における Kit 陽性細胞の役割（研究代表者）3,300 千円
> 　4. **若手研究 B**（平成 17 年度～平成 18 年度）正常および過活動膀胱における c-kit 陽性間質細胞機能の研究（研究代表者）3,500 千円
>
> ❸【これまでの科学研究費によって次のような成果を得た】
> ▶ 膀胱粘膜下微小循環の変化は尿路上皮・求心性神経など過活動膀胱、特に尿意切迫感に関わる細胞の代謝に影響を及ぼすと考えられた。
> ▶ 過活動膀胱患者のゲノム DNA を用いて c-kit 遺伝子の遺伝子多型解析を行った結果、rs1947763 において、A から G への変異を有する患者において過活動膀胱の発症率が高い傾向が認められた。過活動膀胱発症との関連性につきさらに検討中である。
> ▶ 膀胱においても Kit 陽性細胞が c-kit 遺伝子によりコードされるレセプター型チロシンキナーゼである Kit を発現し、細胞間情報伝達の経路、もしくは神経筋伝達の介在細胞として働いている可能性を報告した。
> ▶ 粘膜下層および筋層両者における Kit 陽性間質細胞が、過活動膀胱あるいは排尿筋過活動の発症機序に大きく関与している可能性が考えられた。
>
> （線をつける）
>
> ❶【科研費以外】
> 　1. **日本医師会研究奨励賞**（平成 24 年度～平成 25 年度）過活動膀胱における KIT-SCF シグナル伝達系からみた病態解明と臨床応用（研究代表者）1,500 千円
> 　2. **第 12 回 AKUA 研究助成**（平成 24 年度～平成 25 年度）活動膀胱における SCF-Kit シグナル伝達系の機能解析と新しいバイオマーカーの開発（研究代表者）1,000 千円

図 3G-2　書き方の実例②
　研究費獲得が多いときは，研究費（種目）をまとめて書いたあとに，一連の研究成果を総合的に示すとわかりやすい．

❶ 科研費とそれ以外に分けて書く．
❷ 研究種目，期間，課題名などを書く．
❸ 科研費の採択が多いので，成果をまとめた．

第3章 申請書の書き方

H 人権の保護および法令等の遵守への対応

> **・Point・**
>
> 1) 研究をする前に研究倫理を見直す
>   - 研究倫理に社会からも厳しい目が注がれている．
>   - 日本学術振興会の科研費「公募要領」に詳しく指示があり，特に「競争的資金の適正な執行に関する指針」は一読すること．
>   - 研究倫理教育の受講も義務づけられた（「公募要領」参照）．
> 2) 書く対象と書き方の実例（図3H-1）
>   - ①個人情報を伴うアンケート調査，②提供を受けた試料の使用，③ヒト遺伝子解析研究，④組換えDNA実験，⑤動物実験など，研究機関内外の倫理委員会などにおける承認手続きが必要となる調査・研究・実験などを書く．

I 基本編

1 研究をする前に研究倫理を見直す

- 昨今，研究倫理に対して，学術界だけでなく社会からも，厳しい目が注がれています．それは本来あるべき研究の基本的な姿です．
- 科研費の申請に当たっては，日本学術振興会の科研費「公募要領」に，詳しく指示が述べられています．特に，4頁の「競争的資金の適正な執行に関する指針」は一読しておいてください（平成29年度版）．
- 研究倫理教育の受講も義務づけられています（「公募要領」参照）．

Ⅱ 実践編

1 書く対象と書き方の実例（図 3H-1）

● 書く対象は，申請書の「書くときの説明事項」にあるように

① 動物実験
② 組換え DNA 実験
③ ヒト遺伝子解析研究
④ 提供を受けた試料の使用
⑤ 個人情報を伴うアンケート調査

など，研究機関内外の倫理委員会などにおける承認手続きが必要となる調査・研究・実験などをするときに，その内容を書きます．なお，該当しない場合には，その旨を書きます．

基盤 C（一般）－10

人権の保護及び法令等の遵守への対応（公募要領 4 頁参照）
本欄には，研究計画を遂行するに当たって，相手方の同意・協力を必要とする研究，個人情報の取り扱いの配慮を必要とする研究，生命倫理・安全対策に対する取組を必要とする研究など法令等に基づく手続が必要な研究が含まれている場合に，どのような対策と措置を講じるのか記述してください．
例えば，個人情報を伴うアンケート調査・インタビュー調査，提供を受けた試料の使用，ヒト遺伝子解析研究，組換え DNA 実験，動物実験など，研究機関内外の倫理委員会等における承認手続が必要となる調査・研究・実験などが対象となります．
なお，該当しない場合には，その旨記述してください．

　本研究では，これまで無機物質として捉えられていた尿路結石を遺伝学的な見地から多面的に捉える必要があり，目的遺伝子の機能探索のために組換え遺伝子を受精卵に導入した遺伝子組換えマウスを利用する実験を計画している．この中で<u>用いる組換え遺伝子</u>❶は「遺伝子組換え生物等の使用等の規制による生物の多様性の確保に関する法律」に準じた<u>実験設備（P1 レベル）</u>❶を備えた当大学および委託施設内で取り扱い，実験遂行に当たっては安全主任者の監督・指導のもとに行っていく．動物実験および遺伝子組換えマウスを用いた研究については，<u>名古屋市立大学遺伝子組換え実験等安全委員会および動物実験委員会</u>❶で本研究実施の妥当性について承認された後に，研究を実施する．
　ヒト検体における臨床研究を予定している．患者および健常人ボランティアからの<u>採血・採尿</u>❶については，<u>倫理審査委員会にて審査のうえ承認</u>❶を受ける．研究へ参加することは個人の自由意志であり，強制されるものでないこと，同意しなくても不利益は生じないこと，一旦同意した場合もいつでも同意を撤回できること，その場合は採取した研究用組織・血液，結果は破棄されて研究に使用されないこと，<u>データは個人情報であり，厳重</u>❶に管理され，個人識別情報（氏名，生年月日，患者 ID 等）とは分離し，施錠されたキャビネットに厳重に保管されることなどを十分説明する予定である．
　採取した遺伝子については，当該研究以外には使用せず，個人情報保護法を遵守し，個人のプライバシーおよび情報漏洩についても十分に配慮する．<u>名前，イニシャル，生年月日，患者 ID など第三者が</u>❶個人を同定できる情報は排除する．

図 3H-1　書き方の実例

❶ アンダーラインは書くべき事項の一例．

該当がないときは「該当なし」と記載する

第3章 申請書の書き方

I 研究経費の妥当性・必要性

> **・Point・**
> ➢「研究経費の妥当性・必要性」は，評定基準の6要素のうち，2つにかかわっている．
> ➢ 文章中の表3I-1に書かれていることがチェックされる．
> ・上記の観点のほかに，申請書に全体の統一感をもたせることが大切である．

I 基本編

- 「研究経費の妥当性・必要性」は，第一段階の評定基準の6要素のうち，「研究課題の学術的重要性・妥当性」と「研究計画・方法の妥当性」の2つにかかわっています（付録3 ➡160頁）．

- 表3I-1に書かれていることがチェックされます．

表3I-1 「研究経費の妥当性・必要性」を書くにあたっての注意点

① 応募額が規模に見合っており研究上の意義があるか
② 経費配分は妥当か
③ 単に既製の研究機器の購入目的になっていないか
④ ほかの経費で措置されるべき大型機器の製作目的ではないか
⑤ 商品・役務の開発の販売などを直接目的にしていないか
⑥ 業としての受託研究でないか
⑦ 研究計画のいずれかの年度において，各費目（設備備品など，旅費，人件費，謝金）が全体の研究経費の90％を超えていないか

- 申請書に全体の統一感をもたせることなど，「見栄え」をよくする工夫が必要です．

II 実践編

- 各費目ごとに小見出しを付けて，それらの文字はゴシック体などにします（図 3I-1）．
- 「見栄え」よい書き方を，ここでも意識します．

基盤 A・B（一般）— 12

研究経費の妥当性・必要性

本欄には，「研究計画・方法」欄で述べた研究規模，研究体制等を踏まえ，次頁以降に記入する研究経費の妥当性・必要性・積算根拠について記述してください．また，研究計画のいずれかの年度において，各費目（設備備品費，旅費，人件費・謝金）が全体の研究経費の 90％を超える場合及びその他の費目で，特に大きな割合を占める経費がある場合には，当該経費の必要性（内訳等）を記述してください．

❶ **設備備品費**：研究 [1] では，共培養環境下における腎尿細管細胞に対する CaOx 結晶の付着量を定量化するため，偏光顕微鏡を搭載した研究用システム実体顕微鏡が必要となる．研究 [2] では，MetS の影響ならびに OPN 欠損の影響で，腎に形成される石灰化の超微細構造に差異が現れると考えられるため，卓上走査型電子顕微鏡が必要となる．研究 [3] では，結石形成量のみでなく大動脈壁への石灰化付着を定量する必要があるため，上記走査型電視顕微鏡へのエネルギー分散型 X 線分析装置の搭載により，組織中元素（カルシウム，リン）を定量する必要がある．

■ **消耗品費** ← 小見出し   余裕のスペース →

❷ (1) **試薬類**：DNA 抽出・PCR 試薬，蛋白発現解析をおこなうための ELISA・Western Blotting 試薬，抗体の購入費が必要となる．特に MagPix® を用いた多種蛋白同時解析（マルチプレックス解析）では，磁気ビーズに抗体を付着させた検体プレートの購入と関連試薬の購入が必要である．

❸ (2) **実験器具**：研究 [1] では，共培養のための着脱式二層培養プレートの購入が必要である．またその他の実験器具は，検体採取に用いるピペットマン，検体吸引用のチップ，ビーカー類，検体保存用のエッペンドルフチューブなど，分子生物学的解析を行う際に用いるもののことを指す．

❹ ■ **国内旅費**：研究成果発表のため，日本泌尿器科学会総会，日本泌尿器科学会中部総会，日本尿路結石症学会などの国内学会に参加予定であり，その旅費，滞在費の一部に用いる．

■ **海外旅費**：米国泌尿器科学会（AUA），欧州泌尿器科学会（EAU），国際泌尿器科学会（SIU），国際尿路結石学会（ISU）等の国際学会に参加予定であり，その旅費，滞在費の一部に用いる．

← 左マージン

■ **人件費**：共培養（細胞管理・投与研究）・動物研究（genotyping，採取組織の処理・保管，定量 PCR，免疫染色）に従事する研究助手を特定期間雇用するため，一定の謝金が必要となる．

■ **その他**：一定の成果を論文として投稿していくため，英文校正費，投稿掲載費および別刷り代が必要となる．また上記国内海外学会での参加発表には学会参加登録費が必要となるが，出来うる限り早期登録を行い，研究の支出を減らす．

余白をつくらない →

図 3I-1　書き方の実例

❶ 各費目ごとに小見出しをつける．
❷ できる限り詳しく，かつ簡潔に書く．
❸ 使用目的を規程に合わせる．
❹ 各費目が全体の 90％を超えない．

J 研究経費（設備備品費，消耗品費，旅費等）

第3章 申請書の書き方

・Point・

- 年度ごとに区分して，年度の小計を書く．
- 詳しく書くことにより，研究への熱意と準備状況を伝える．
- 「設備備品費，消耗品費，旅費，人件費・謝金，その他」は，研究年度によって変わる．
- 初年度の内容を翌年度以降にコピーしたような申請書は研究計画の信頼度を落とす．

1) 設備備品費の書き方とその実例(図 3J-1)
   - 科研費では，購入備品は所属機関が管理し，研究者個人の所有物ではない．
   - 詳しく書くこと．例えば研究機器の名前だけでなく，品名・仕様，単価や数量，設置場所なども書く．
   - 各費目が研究経費の90％を超えるときは，その必要性を「研究経費の妥当性・必要性」で書く．

2) 消耗品費の書き方とその実例(図 3J-1)
   - 消耗品とは，研究期間内に使い切り，資産価値をもたない安価な機材，文具，図書などを指す．
   - 内容を仔細に書くこと．科学的に必要十分な動物の数，試薬の量，調査研究の回数などを書く．

3) 旅費，人件費・謝金，その他の書き方とその実例(図 3J-2)
   - 旅費は国内と海外に分けて書く．
   - 人件費は実験の手伝い・資料作成，謝金は一時的な報酬などを書く．

I 基本編

- 研究経費の費目は，物品費，旅費，人件費・謝金，その他の4つからなります．
- 計画調書にWeb入力する際，物品費が設備備品費と消耗品費に区別されるので，項目としては5つになります．これらの経費は年度によって変わるはずです．通常，設備備品は初年度に多く，学会旅費や論文投稿は最終年度に多くなります．
- しばしば，初年度の内容をコピー＆ペーストしたような申請書を見ます．それらは

研究計画のずさんさを露呈したものです．前項の「研究経費の妥当性・必要性」で書いたことに合致した内容を具体的に書きます．

● 次のような研究経費は公募の対象にはなりません．ご留意ください．

> ① 単に既製の研究機器の購入を目的とする研究計画
> ② 他の経費で措置されるのがふさわしい大型研究装置などの製作
> ③ 商品・役務の開発・販売などを直接の目的とするもの
> ④ 業として行う受託研究
> ⑤ 研究期間のいずれかの年度における研究費の額が10万円未満の研究
> ⑥ 建物などの施設に関する経費
> ⑦ 補助事業遂行中に発生した事故・災害の処理のための経費
> ⑧ 研究代表者または研究分担者の人件費・謝金
> ⑨ そのほか，間接経費を使用することが適切な経費

〔平成29年度科研費「公募要領」より抜粋〕

● なお，経費の額は，規程の最大限を書くのでよいと思います．

キラリと輝く申請書 17　研究費に思うこと（その1）；研究費にも「格差社会」がある

　数年前，フランスの経済学者トマ・ピケティ氏が，著書「21世紀の資本」において，経済の成長により富は一握りの人に集中していることを提唱し，「格差社会」が流行語になりました．

　わが国の研究費は，諸外国に比べ研究機関の間に大きな「格差」があります（下図）．また，わが国には約800の大学や主要な研究所がありますが，研究費の約80％は，わずかトップ10の研究機関に集中しています．

　これらの研究機関では，研究者の人数が多く，すぐれた研究成果をあげているので，研究費が多いのは当然のことです．しかし，それだけで研究費の「格差社会」の原因を語るには，わが国のこれからの科学振興を考えるうえにおいて早計に失するものだと考えます．

　研究費に格差をきたしている，ほかの原因は何か？　その原因については143頁の本欄で述べます．

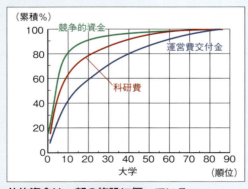

公的資金は一部の施設に偏っている
〔日本学術振興会，財務諸表データより改変〕

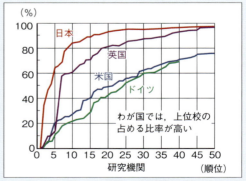

国別にみた競争的資金の研究機関への集中度
〔日本学術振興会より改変〕

II 実践編

1 設備備品費の書き方とその実例（図3J-1）

- まず初めに知っておいていただきたいことは，科研費で購入した備品は研究者が所属機関に寄付し，所属機関が管理する形態をとることです．研究者個人の所有物ではないことを留意してください．このことは研究倫理にもかかわるので，<u>重要です</u>．
- 年度ごとに区分して，年度の小計を書きます．
- できるだけ詳しく書くようにします．例えば，研究機器の名前だけでなく，「書くときの説明事項」にあるように品名・仕様はもちろんのこと，単価や数量などを書きます．これにより，研究への熱意と準備状況が審査委員に伝わるからです．
- 設置場所の記載も忘れないでください．
- 各費目が研究経費の90%を超えるときは，その必要性を「前項」で書くことになっています．そのようなアンバランスな研究計画はできる限り避けてください．

<u>基盤A・B（一般）- 13</u>

（金額単位：千円）

設備備品費の明細　記入に当たっては，基盤研究（A・B）（一般）研究計画調書作成・記入要領を参照してください．			消耗品費の明細　記入に当たっては，基盤研究（A・B）（一般）研究計画調書作成・記入要領を参照してください．	
年度	品名・仕様（数量×単価）（設置機関）	金額	品名	金額
27	研究用システム実体顕微鏡「SMZ18」 （1 × @2,750）（名古屋市立大学）	2,750	培養細胞関連試薬（培養細胞購入費，共培養試薬費） 実験用動物購入費 （B6.V-Lep^{ob}/J 雄 Lep^{ob} / Lep^{ob}B6.V-Lep^{ob}/J,Heterozygote × Heterozygote 6 ペア） 遺伝子型同定用試薬 （TaqMan® genotyping assay Kit 用試薬、Primer sets） MAGPIX® 用マウス・アディポサイトパネル （1 × @290）	200 50 200 290
	計	2,750	計	1,550
28	卓上走査型電子顕微鏡「TM3030」 （1 × @5,000）（名古屋市立大学）	5,000	遺伝子発現解析試薬 （TaqMan® assay Kit 用試薬、Primer sets） 蛋白発現解析試薬 （Western blotting, ELISA Kits）	200 200
	計	5,000	計	600
29	TM3030 用エネルギー分散型 X 線分析装置 （Quantax70）（1 × @4,000） （名古屋市立大学）	4,000	遺伝子発現解析試薬 （TaqMan® assay Kit 用試薬、Primer sets） 蛋白発現解析試薬 （Western blotting, ELISA Kits）	200 200
	計	4,000	計	600

図 3J-1　設備備品費・消耗品費の書き方の実例

2　消耗品費の書き方とその実例（図3J-1）

- 設備備品との区別に悩むことがあります．消耗品とは，研究期間内に使い切り，資産価値をもたないもの，例えば安価な機材や，文具，図書などです．
- この項でも内容を仔細に書くことが大切です．実験動物ならば，研究データを科学的に出すための，「統計処理に必要十分な動物の数」があるはずです．多すぎず，少なすぎないことです．それにより研究計画の準備状況がわかります．実験試薬の量，フィールドワークの回数なども同様です．

3　旅費，人件費・謝金，その他の書き方とその実例（図3J-2）

- 旅費は，国内と海外に分けて書きます．研究代表者，研究分担者，連携研究者，研究協力者にも使えます．ほかの研究費と合わせた使い方は，基本的にはできません．人件費は実験の手伝い・資料作成などのことで，謝金とは一時的な報酬です．
- 「その他」には，図3J-2のほかに論文投稿料，解析委託料，学会参加料などの経費が案外多いです．
- なお，電子申請システム上で入力する応募情報と相違がないようにチェックしてください．事務のアドバイスとして，ワードで作成した書類とWeb上で入力した内容が合致しないことが時々見られるそうです．

基盤 A・B（一般）－ 15
（金額単位：千円）

旅費等の明細 記入に当たっては，基盤研究（A・B）（一般）研究計画調書作成・記入要領を参照してください．

出張目的・場所 / 目的・内訳（人数×期間）

年度	国内旅費 事項	金額	外国旅費 事項	金額	人件費・謝金 事項	金額	その他 事項	金額
27	成果発表・情報収集（日本泌尿器科学会総会、日本尿路結石症学会等）	150	研究発表等（米国泌尿器科学会、欧州泌尿器科学会等）	400	研究補助（1人×50日）資料提供閲覧	400 / 100	実験飼育費 検査委託料 英文校閲料 印刷費	300 / 200 / 100 / 50
	計	150	計	400	計	500	計	650
28	成果発表・情報収集（日本泌尿器科学会総会、日本尿路結石症学会等）	150	研究発表等（米国泌尿器科学会、欧州泌尿器科学会等）	400	研究補助（1人×50日）資料提供閲覧	400 / 100	検査委託料 英文校閲料 印刷費 研究成果投稿料	200 / 100 / 50 / 50
	計	150	計	400	計	500	計	400
29	成果発表・情報収集（日本泌尿器科学会総会、日本尿路結石症学会等）	150	研究発表等（米国泌尿器科学会、欧州泌尿器科学会等）	400	研究補助（1人×50日）資料提供閲覧	400 / 100	検査委託料 英文校閲料 印刷費 研究成果投稿料	200 / 100 / 50 / 50
	計	150	計	400	計	500	計	400

図3J-2　旅費等の書き方の実例

第3章　申請書の書き方

K 研究費の応募・受け入れ等の状況・エフォート

Point

- この項は，「研究資金の不合理な重複や過度の集中にならず，研究課題が十分に遂行し得るかどうか」を判断するもの．
- 応募中の研究費，受け入れ予定の研究費，その他の活動を書く．
- 「エフォート」欄には，年間のすべての仕事の時間を100%とした場合，その内あなたの研究を行うにあたって必要な時間の配分比率（%）を書く．
- 応募中の研究費の初めには，あなたの研究課題を書く（図3K-1）．

基盤C（一般）－13

研究費の応募・受入等の状況・エフォート

本欄は、第2段審査（合議審査）において、「研究資金の不合理な重複や過度の集中にならず、研究課題が十分に遂行し得るかどうか」を判断する際に参照するところですので、本人が受け入れ自ら使用する研究費を正しく記載していただく必要があります。
本応募課題の研究代表者の応募時点における、(1)応募中の研究費、(2)受入予定の研究費、(3)その他の活動について、次の点に留意し記入してください。なお、複数の研究費を記入する場合は、線を引いて区別し記入してください。具体的な記載方法等については、研究計画調書作成・記入要領を確認してください。
① 「エフォート」欄には、年間の全仕事時間を100%とした場合、そのうち当該研究の実施等に必要となる時間の配分率（%）を記入してください。
② 「応募中の研究費」欄の先頭には、本応募研究課題を記入してください。
③ 科研費の「新学術領域研究（研究領域提案型）」にあっては、「計画研究」、「公募研究」の別を記入してください。
④ 所属研究機関内で競争的に配分される研究費についても記入してください。

(1) 応募中の研究費

資金制度・研究費名 （研究期間・配分機関等名）	研究課題名 （研究代表者氏名）	役割（代表・分担の別）	平成27年度の研究経費 （期間全体の額）（千円）	エフォート（%）	研究内容の相違点及び他の研究費に加えて本応募研究課題に応募する理由 （科研費の研究代表者の場合は、研究期間全体の受入額を記入すること）
【本応募研究課題】 基盤研究（C）（一般） （H27～H29）	尿路結石のミトコンドリア傷害機序の病態解明と網羅的遺伝子探索による予防法の開発	代表	1,520 (3,200)	20	（総額 5,000 千円）
基盤研究（A）（一般） （H27～H29）	尿路結石症の形成機序の総合的解明と新規治療薬の開発 （郡健二郎）　←代表者名を記入	分担	100 (300)	5	尿路結石の形成機序を遺伝因子、環境因子より統合的・多面的に解明する研究であり、本研究と内容が異なる。　←本申請課題との相違点

図 3K-1　書き方の実例

キラリと輝く申請書 18　申請書を書き終わったところで，もう一度（その1）

あなたは，申請書を書いたあと，いつ，どのようにして見直しますか？

私は，申請書を書いた翌日に，声に出して読み直すようにしています．もちろん書いた直後にも読み直しますが，翌日に読み直すこととは意味が全く異なります．

翌日に読み直す理由は，あまり時間が離れてしまうと書いた内容の記憶が薄くなっているからで，さりとて書いた直後だと，わかった気になって読み過ごすからです．

声に出すことは重要で，若い人に勧めています．音読する理由の1つは，目と耳から書いた内容がインプットされるので，新たな発見に気づきやすくなるからです．語学力や記憶力を高めるための基本的な学習方法だと伺いました．

2つ目の理由は，声に出して読むことにより，文章にリズムが出ると思っています．本書で触れた「流れのある文章」です．自分で書いた申請書を黙読しても，書いたときの先入観が強く，申請書をチェックしたことにはなりません．一度だまされたと思って，声に出して読み直してください．自分で書いた文章がいかに粗雑か，リズムがないかがわかります．

音読する3つ目の理由は，審査委員はあなたの申請書を初めて読むので，あなたが声に出して読むリズムに似ていると思うからです．

音読により，誤字・脱字，書き忘れた点などをチェックするだけでなく申請書の全体の流れが見えるので，文と文あるいは段落のつながりを校正することができます．また，申請書は一気に書き上げていないので，論理の飛躍もありますが，それを冷静に見いだすことができます．どうすれば審査委員が理解しやすい言い回しになるかを考えながら音読してください．

自分で書いた文章に納得がいかず，その翌日も音読するようになると，もうしめたもの．免許皆伝の域に達したのではないでしょうか．

キラリと輝く申請書 19　申請書を書き終わったところで，もう一度（その2）

書き終わったあとにはほかの人に読んでもらいます．研究者仲間や，科研費に精通した事務・URAの方々ですが，研究領域が異なる同僚ならば最適です．

この方々の目線は，あなたや上司とは違います．あなたの研究のおもしろさ・アイデア・独創性などを見る目線は，正直言って上司よりは低いはずです．つまり，あなたの申請書を初めて読む審査委員は，同僚と同じレベルの目線だと考えてください．同僚が理解に苦しむ申請書は，審査委員にもわかってもらえないと考えましょう．

自分で書いた申請書を何度読み返しても，独りよがりになっているものです．違う目線で読んでもらってください．誤字脱字だけでなく，自分では見過ごしてしまいがちな論理的な矛盾を見つけてもらえるでしょう．それらを率直に指摘してくれる方々こそが，真の友人です．

言うまでもないことですが，申請書を見てもらうにあたっては「これが完成品だ」と思うところまで仕上げてください．私は，申請書を校閲したなかで，コメントするに値しないものがありました．それらは，①研究らしい研究をしていない人，②未完成の申請書，③誤字脱字が多い申請書，④書き方のコツだけを求める人，などです．

本拙書でも同様に，最終稿の前には，10名の方々に原稿を読んでいただき，実に多くの，しかも的確な指摘をもらいました．それらの指摘の中には，私が先入観に陥っていたので気づかなかったところや，一気に書き上げなかったことによる文字の不統一などがありました．謙虚に見てもらうことです．

見栄えをよくする
ポイント

第4章

見栄えをよくするポイント

> ### ・Point・
>
> ### Ⅰ 基本編
>
> 1) 「見栄え」は「採択される3要素」の1つである（図4-1，表4-1）
>   - 審査委員に，「読みやすい，すっきりしている」，「じっくり読んでみようか」と思われることが採択への第一歩である．
> 2) なぜ，業績があり，先端研究なのに採択されないのか？
>   - 研究のレベルは高く，アイデアはおもしろいのに，それらが申請書に十分に書かれていない．
>   - 審査委員は，あなたと面談をしながら審査をしない．「見栄え」をよくして審査委員にインパクトを与え，研究のおもしろさを正しく伝えることが大切である．
>
> ### Ⅱ 実践編
>
> 1) 余裕のスペースを作る（第3章 図3C-8，9 ➡ 082～093頁）
>   - マージンをとる．
>   - 行間や文字の間隔をつめない．
> 2) すっきりしたわかりやすい申請書にする（第3章 図3C-8，9 ➡ 082～093頁）
>   - 小見出しをつける．
>   - 箇条書きにする．
>   - 段落をつける．
> 3) 図表を用いる（図4-2，3，4）
>   ① なぜ図表を用いるか
>   - 本文の内容の理解度を高めるため．
>   - 見栄えをよくするため．
>   - 余白を利用するため．
>   - 予備実験や未発表データがあることを示すため．
>
>   ② 用いることを控えたい図表
>   - あなたの研究領域で一般的なもの．
>   - 他からの引用したそのもの．
>   - 論文や学会発表したそのもの．

③ 留意すべきこと
- 審査委員には白黒印刷(グレースケール印刷)が届く.
- 文字の大きさ,字体をそろえる.
- 図表にはタイトル and / or 1～2 行の説明文をつける.

4) 重要 わかりやすい文章のコツ;「流れのある文章」を書く
- 論理的に書く.
- 英語・略語・専門用語を少なくする(表 4-2).
- 漢字は,文章全体の 20～30% 以内にする(表 4-3).
- つかみの一文,しまりの一行が重要(表 4-4).
- 一文は 40 字以内を目ざす.
- 言いたいことを強調する方法を会得する.

5) 重要 申請書全体のレイアウトを見直すチェックポイント
（科研費を申請する前のチェックリスト ➡ xxii 頁,図 4-9）
- 文字の種類やサイズ,行間や文字の間隔を統一する.
- 段落と段落の間隔を統一する.
- 通し番号のつけ方を統一する.
- 同じ意味なら,同じ用語に統一する.
- 表現・文体を統一する.
- シンプルな表現にする(表 4-5).
- 誰にでもある書き方のくせにより,単調なリズムにしない.
- 同じ内容を重複させない.しかし強調したいことは何度か述べる.
- 文法上の問題はないかを確認する.
- 申請書の全体で,内容に齟齬や異なる内容はないかを確認する.

I 基本編

1 「見栄え」は「採択される3要素」の1つである

- 科研費が採択される3要素は,アイデア・業績・見栄えです(図 4-1,表 4-1).その3つのなかで,「見栄え」は最もウェイトは低いですが,申請書の多くは紙一重の評価です.「見栄え」で採択が決まることもあるのです.

- 審査委員は,わずか1か月で多くの申請書を査読します.そんな審査委員に,「読みやすい,すっきりしている」,「じっくり読んでみようか」と思われることが採択への第一歩です.

- ぎっしり書かれた申請書は，たとえ内容がすぐれていても，興味をもって読まれることはないでしょう．漢字が並んだ文章は，一見したところで，読む意欲は萎えてしまいます．

2　なぜ，業績があり，先端研究なのに採択されないのか？

- 私は，これまでに多くの申請書を見てきました．そのなかには，私の専門外や他大学からの依頼もありました．そんなとき，<u>決まって受けた質問は，「私の申請書はなぜ採択されなかったのでしょう？　先端研究をしているのに」</u>です．
- その人たちの申請書に共通しているのは，じっくり腰をすえて読む気になれない申請書でした．
- 研究のレベルは高く，アイデアもおもしろいのに，それらが申請書に十分に書かれていないのです．ご本人から，研究内容をじっくり聞くと，「なるほど．そういう研究ですか」とか，「その発想はおもしろいですね．でも申請書にそれを書ききれていませんね」といった会話をすることがしばしばありました．
- <u>審査委員は，このようにあなたと面談をしながら審査をするわけではありません．申請書だけで審査するのです．</u>まず「見栄え」をよくし，審査委員にインパクトを与え，あなたの研究のおもしろさを正しく伝えることが大切です．

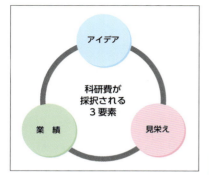

図 4-1　科研費が採択される3要素
〔図1-1　005頁を再掲〕

表 4-1　申請書の項目別にみた「科研費が採択される3要素」

	アイデア	業績	見栄え
・研究課題	○	—	—
・研究目的（概要）	◎	◎	△
・研究目的			
①-1 国内外の動向	○	◎	◎
①-2 着想	◎	◎	◎
②何をどこまでやるか	◎	○	○
③独創性，意義	◎	○	○
・研究計画（概要）	◎	○	○
・研究計画・方法	◎	○	○
・準備状況	○	○	○
・研究業績	—	◎	△
・これまでの研究費	△	◎	△

◎最重要　○重要　△大切　—評価なし．
〔表1-2　005頁を改変〕

II 実践編

1 余裕のスペースを作る

1) マージンをとる

- 第3章Cの図 3C-8, 9 ➡ 082〜093頁 を見てください．その欠点は，文字を詰め過ぎていることです．まず簡単に直す方法は，左右上下のマージンを広げることです．特に左マージンは最低1文字，できれば2文字，余裕をとることによりすっきりします．

2) 行間や文字の間隔をつめない

- 一見して読みづらい申請書の多くは，行間や文字の間隔が狭いものです．パソコン機能がよくなったために，たとえ文章の量が多くなっても，パソコン操作で行間をつめたり，文字の間隔を狭くすることにより，文章の量を減らさずに調整できるようになりました．

- しかし，それが逆にすっきりした申請書を作成するうえで弊害になっています．行間を広げ，読みやすい文章にするためには，不要な内容や冗長な表現を徹底して削りましょう（図 3C-8, 9 ➡ 082〜093頁）．

- 項目あるいは段落のあとには，行間の幅よりも広い余裕のスペースをとってください．一昔前のパソコンは，1行単位にしかスペースを空けることができず，申請書が冗長になりました．しかし現在では，パソコン機能の向上で，0.1行単位であなたの好みの間隔で行間の幅を設定できます（図 3C-8, 9 ➡ 082〜093頁）．

**キラリと輝く申請書 20　研究費に思うこと（その2）；
研究費に格差をきたしている他の原因とは**

（134頁からのつづき）

研究費に格差をきたしている他の原因として，①審査委員が申請書にある研究機関や研究者の名前を意識すること，②各研究機関が毎年ほぼ同額の研究費を獲得している影響を受けているであろうこと，③トップ10の研究機関の研究費が潤沢なので，優秀な人材が集まり，それが新たな研究成果を生み出すという，第1章の「研究サイクル」に似た現象が起こっていること，④1件あたりの巨額な研究費がトップ10の研究機関に集中していることが考えられます．

これらのことは重要なので，「わが国の研究費」について，149頁の本欄でつづきを述べます．

2　すっきりした申請書にする

- 次に述べる3つの手法は重要です．見た目がすっきりした申請書になり，審査委員は好印象をもつことでしょう．

1）小見出しをつける

- 小見出しは，見栄えだけでなく論理性を高めるので重要です．これは本書の各章で強調していることです．
- 小見出しをつけるのは，次の3つのときです（図3C-8，9 ➡ 082〜093頁，図3D-4 ➡ 106頁）．

> ⓐ 文章が長くなり，その要旨をまとめてサブタイトルにするとき
> ⓑ 文章が複数の内容からなり，それぞれの内容を独立させたいとき
> ⓒ 文章にアクセントを付けたい内容があるとき

- 小見出しの長さは1行以内とします．小見出しは，タイトルあるいはキャッチフレーズの役割をしているからです．長いものは，それらの役割をなしません．
- ゴシック体を用いるか，アンダーラインを付けます（図3C-8，9 ➡ 082〜093頁）．

2）箇条書きにする

- 「また，さらに」など，直列で書かれた文章は理解しづらいものです．そのときには，箇条書きにするとスッキリします（図3B-9 ➡ 062頁，図3C-8，9 ➡ 082〜093頁，図3D-2 ➡ 102頁）．
- 箇条書きは，サブタイトルの役割を兼ねています．したがって，1行以内の長さとし，その下に1〜3行の補足説明をつけると内容が理解しやすくなります．
- 小見出しと同様，ゴシック体またはアンダーラインにします．

3）段落をつける

- 文章が長くなるときには，小見出しをつけたり，箇条書きにするほか，段落をつけるのも1つの手法です．
- 私は，10行以上になると，無理にでも段落をつけるようにしています．10行以上の文章ならば，話のテーマは1つだけではないはずです．テーマが異なるところで改行します（図3C-8，9 ➡ 082〜093頁，図3D-4 ➡ 106頁）．
- これは，見栄えをよくするための一般的な段落の付け方です．ほかに，パラグラフ・ライティングの手法があります（キラリと輝く申請書[13] ➡ 069頁，図3D-4 ➡ 106頁）．

3 図表を用いる

1) なぜ図表を用いるか

ⓐ 本文の内容の理解度を高めるため
- そのために，シンプルなわかりやすい図表にすることです．本文の説明を補うものにします．例えば，複雑な作用機序や数値の羅列などを図表にします．

ⓑ 見栄えをよくするため
- 図表は，文字ばかりの紙面に変化をもたせ，彩りを与えます．
- しかし1頁に1つ，多くとも2つ以内にしてください．それより多くなると，本文の内容が消されてしまいます．また図表の大きさに留意してください．いわゆる水増しのようになりかねません．

ⓒ 余白を利用するため（図 3C-8, 9 ➡ 082～093 頁）
- 申請用紙にゆとりの余白は必要です．しかし書く内容がないためにできた余白は審査評価を低くします．その余白を図表で埋めるのです．

ⓓ 予備実験や未発表データがあることを示すため（図 3C-10 ➡ 095 頁）
- それらのことがわかるように，図表の下に説明文を書きます．研究が進行中であることを示し，実現性が高いことを訴えます．
- 論文リストはまだ少ないが，現在研究に専念している人に有用な手法です．

2) 用いることを控えたい図表

ⓐ あなたの研究領域で一般的なもの
- これらの図表は申請書を冗長にします（これと同じようなことは，第3章C ➡ 081 頁 でも強調しました）．

ⓑ 他からの引用したそのもの
- 流用した図表はオリジナルではないのでインパクトに欠けます．改変して用いるときには，引用元を必ず書いてください．

ⓒ 論文や学会発表したそのもの
- 論文や学会発表で用いた図表は詳しい内容なので，そのまま用いると見づらくなります．不要なところを削ってください．
- 新たに作成するか改変することで，研究への熱意を示します．

3) 留意すべきこと

ⓐ 審査委員には白黒印刷（グレースケール印刷）が届く
- 提出前に白黒印刷をして，判読できるか必ず確かめてください（図 4-2, 3, 4）．特に，学会発表のスライドを用いるときは注意が必要です．

（148 頁につづく）

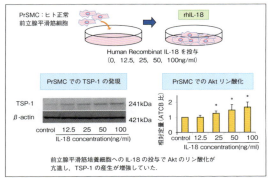
a：カラーで作られた図

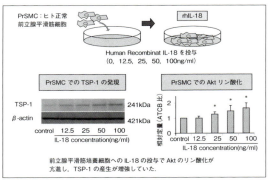
b：白黒印刷用に作り直した図

図 4-2　作図の実例
解説

❶ カラー版でも白黒印刷にしても判読できる．
❷ ゴシック体で文字も読みやすい．
❸ 説明文もあってわかりやすい．
❹ 論文になっていないが研究が進行中であることがわかる．
❺ 研究手法と結果が 1 つの図になっているので複雑になっている．2 つに分けるとよい．

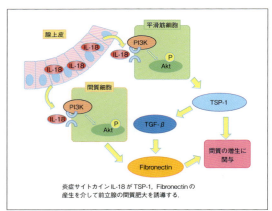
a：カラーで作られた図

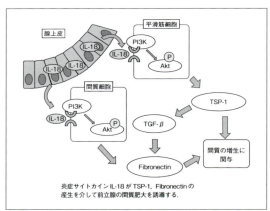
b：白黒印刷用に作り直した図

図 4-3　作図の実例
解説

❶ カラー印刷は一見きれい．
❷ 文字の背景が濃い色のときには文字が読みづらい．
❸ 特に IL-18 や TGF-β の文字が見にくい．
❹ 白黒印刷で見えるように，改めて作り直す熱意が必要である（キラリと輝く申請書16 ➡122頁）．

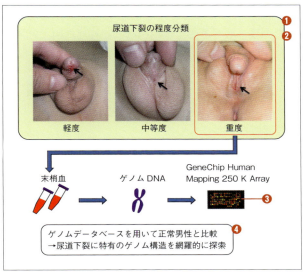

a：カラーで作られた図

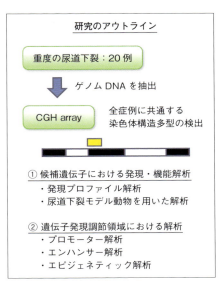

a：カラーで作られた図

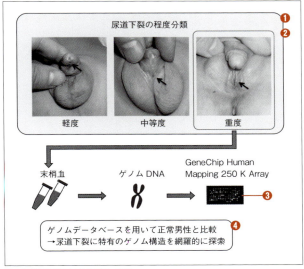

b：白黒印刷用に作り直した図

図 4-4-1 作図の実例

解説

❶ 手術写真やmicroarrayなどをカラー版で仕上げているが，必ず白黒でチェックすること．

❷ 手術写真は矢印のコントラストが工夫され見やすい．

❸ microarrayはわかりにくい．

❹ 説明文を付記することで，専門的な研究計画の概要を理解してもらう．

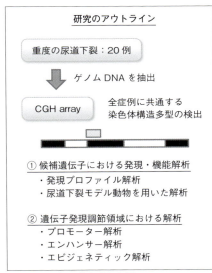

b：白黒印刷用に作り直した図

図 4-4-2 作図の実例

解説

❶ 図4-4-1の研究計画のアウトライン．先端研究を示しながら，概要がわかりやすく示されている．

ⓑ **文字の大きさ，字体をそろえる**
- 特に，学会発表や論文で用いたカラー版をそのまま用いないでください．見栄えをよくするために，説明文や文字数を少なくしてください．
- ゴシック体が望ましいです．

ⓒ **数字，英文字は半角を用いる**（図 4-5, 6, 7, 8）
- 数字や英文字を全角にすると申請書が冗長になります．
- ラテン文字の統計記号はイタリック体で表示します．M（平均値），SD（標準偏差），MSE（平均平方誤差），r（ピアソンの積率相関係数），N（総ケース数），n（個々のケース数）など．

ⓓ **図表にタイトル and/or 1〜2 行の説明文を付ける**
- 図表だけを挿入しても，説明がなければ逆にわかりにくいです．短い説明文を入れると良いでしょう．
- 投稿中あるいは学会発表などを付記します．これにより本申請書はすでに研究が進行していることがわかってもらえます（図 3C-8, 9 ➡ 082 頁，図 4-2 ➡ 146 頁）．

図 4-5　全角の数字だと，行末の途中で改行される（矢印）

図 4-6　桁数の多い数値や小数点では，全角にすると冗長になる

全角＝ＡＢＣａｂｃ．．％

半角＝ABCabc..%

図 4-7　英文字と記号も半角で入力する

「…名古屋市立大学の英語名は，Ｎａｇｏｙａ　Ｃｉｔｙ　Ｕｎｉｖｅｒｓ－
ｉｔｙである」

「…名古屋市立大学の英語名は，Nagoya City University である」

図 4-8　全角のアルファベットだと，行末の単語が途中で改行されてしまう（矢印）

キラリと輝く申請書 21　研究費に思うこと（その 3）；科研費の必要性を，研究成果で示そう

（143 頁からのつづき）

　ここでは，格差社会の原因の 1 つ，大型研究費が一部の研究機関に集中していることを考えたいと思います．「初版 序」にも書きましたが，平成 25 年秋，文科省は，細目別にみた科研費「採択件数」の大学トップ 10 を公表しました．その公表により，中小の大学にもキラリと輝く研究や，地元に密着した特色ある研究が多いことがわかり，マスコミでも取り上げられました．

　近年，基幹研究を国が主導・推進しています．これらの研究には，長期展望が必要で巨大な研究費がかかることから，この施策は重要だと思います．

　しかし問題なのは，国の科学振興費の総枠がこの数年間ほぼ同じなので，基幹研究の財源に科研費の 2 千数百億円が用いられる心配があることです．そのようなことがあれば，国家プロジェクトにはなっていない独創的な研究や，キラリと輝く研究の芽を摘むことになり，次世代を担う研究者の育成にも支障をきたすことになります．

　そこで国にお願いしたいのは，①科学振興費を諸外国並みに増額すること（第 1 章），②キラリと輝く研究者にスポットが当たるような審査，少なくとも研究機関のネームバリューで研究の良し悪しを印象づけることのないように，と思います．

　一方，私たち研究者がすべきことは，科研費を用いた研究成果を世界に発信し，科研費の必要性を社会に理解してもらうことです．研究成果を社会に説明する義務があります．それには，研究を地道に継続することだと思います．

4　わかりやすい文章のコツ：「流れのある文章」を書く

1) 論理的に書く

- 論理的というと難しい話のように思いますが，ここでいう論理的とは，文章が理路整然として，審査委員が理解しやすい文章のことです．すなわち「文章に流れ」があることです．
- ところで皆さん，これまでに，「わかりやすい文章だな」とか「理路整然とした話し方だな」と思ったことがあるでしょう．それらはどのようなものでしたか？
- 私は，それらにはすべて，「文章の流れ」があったと思います．
- 私たちが新聞を読むスピードは慣れとともに速くなります．それは，新聞記事は一定のフォーマットで書かれているからです．私たちは，そのフォーマットに知らず知らずのうちに慣れ，想像した記事を流れに乗って読んでいるのです．
- 逆にいえば，想像した記事でなければ流れをなくし，読み返すか，読まなくなってしまいます．これはテレビやラジオのニュースも同じことです（キラリと輝く申請書⑪ ➡ 046頁）．
- すなわち，わかりやすい文章とは，一文を読んだあとに，次に続く文がどのような内容かを想像でき，しかもその内容が想像した内容と同じである文章なのです．
- ただ，想像した内容とは，学術的に想像した内容ではありません．むしろ学術的には想像していなかった内容であるときに，私たちは心を動かされます．<u>次に何が書かれているのだろうとつい想像してしまい，それに応える文章が，流れのある論理的な文章だと思います</u>．
- <u>このような「流れのある文章」を書くコツが「起承転結」です</u>（表 3B-1 ➡ 048頁）．

2) 英語を少なくする

- グローバル化が叫ばれていますが，申請書は日本人が読みます．しかも専門外の審査委員です．英語（外国語）をできる限り少なくすることにより，わかりやすい文章になります．
- 専門用語などで，英語でしか伝えられないときには alphabet で書くのがよいでしょう．審査委員には，その言葉の意味を十分に理解できずとも，alphabet には臨場感があることから，「文章の流れ」が伝わります．言ってみれば，その英語は単なるシンボルのような役割をしていると考えてください．
- どうしても専門的な英語を使うときは，説明文や日本語訳をつけてください．
- 一方，よく使われる外来語はカタカナにするのをお勧めします．例えばサイエンスやアイデアなどはあえて日本語に訳したり，アルファベットにはしません．

3) 略語を少なくする

- いきなり略語を書く人はいないでしょうが，「文章の流れ」を妨げるのは略語です．どうしても略語を使わなければならないときは，表 4-2 の点に留意してください．

表 4-2　略語を用いるときの留意点

ⓐ 正式名を最初に書く
ⓑ 日本語訳があれば，かっこ書きで説明する
ⓒ 重要な略語で，一般にはわかりにくいときには，脚注で説明文を加える
ⓓ あるいは，図表で説明する（図 3C-8, 9 ● 082頁，図 3D-5 ● 109頁）

- ⓒ, ⓓの手法により，その略語の重要性を強調することができます．

4) 専門用語を少なくする

- 申請書は，専門用語がどうしても多くなります．審査委員にとって，あなたの申請書を読みにくくしているのが専門用語です．専門用語を使わなくても申請書を書けないか，もう一度見直してください．

- しかも専門用語は，漢字や外国語が多くなり，「見栄え」を悪くします．どうしても専門用語を使うときは，前述の「3)略語を少なくする」の留意点に従ってください．

5) 漢字は，文章全体の 20〜30％以内にする

- 文章の書き方の教則本には，「漢字は 30％以内にする」とあります．科研費の申請書には専門用語が多いことから，おのずと紙面は漢字で真っ黒になってしまいます．それでは審査委員は読む気になりません．私は「漢字はさらに 20％以内」で書くように心がけています．

- 書き終わってから，ひらがなあるいはカタカナに変換できないか見直してください．その実例を示します（表 4-3）．

表 4-3　漢字をひらがな，カタカナに変換できる例

並びに	→ ならびに	作用機序	→ メカニズム
多数の	→ 多くの	様々な	→ さまざまな
言い難い	→ 言いがたい	目指す	→ 目ざす
使用する	→ 用いる	及ぼす	→ およぼす
関与する	→ かかわる	未だに	→ いまだに
増加する	→ 増える	評価を行う	→ 評価する
〜の事項	→ 〜のこと	観察された	→ 見られた
独特な	→ ユニークな	蛋白質	→ タンパク質

重要

- この種のことであなたの申請書はすっきりして，読みやすくなります．
- これらの例を参考に，漢字を変換できないか工夫してください．
- 漢字には見た目でその意味をイメージできるものが多いです．そのような漢字は残すのがよいでしょう．
- 文章全体のバランスを見て，漢字のままか，ひらがなにするかを決めてください．

6）つかみの一文，しまりの一行が重要

- 小説「我が輩は猫である」にも見られるように，最初の一文が審査委員を引きつけます．それを私は「つかみの一文」と称して，力を入れて考えるようしています．

- 「つかみの一文」は，文章や段落の初めだけでなく，図表の説明にも大切なことです．しかし，どの段落にも「つかみの一文」を書くと，「つかみ損ねる」ので，ポイントをしぼって書いてください．

- 「つかみの一文」を上手に書くには，日頃から，新聞・雑誌・テレビニュースなどを気にとめることです（図 3B-5 ➡ 058 頁）．分野は違っても，考え方は同じなので参考になります．

- 私がこれまでに引きつけられた「つかみの一文」に共通していたのは，表 4-4 に挙げた点だと思います．

表 4-4　「つかみの一文」の書き方

ⓐ 短い文
ⓑ キャッチフレーズになる文
ⓒ 読者が想定していない内容
ⓓ 次に，何が続くのだろうと期待を持たせる文
ⓔ タイトルや小見出しを兼ねている文

- これらの共通点を意識すると，これまでにない「つかみの一文」を書けるのではないでしょうか．

- あえて「つかみの一文」を書くコツを言うならば，本文のなかにある一文あるいは一節を用いることです．もちろん，言葉や表現を変えなければなりません．上級編として，本文の内容と逆のことをサプライズを込めて書く手法もあります．

- 「しまりの一行」は，長い文章や段落の終わりに用います．これまでの内容をまとめる意味合いがあり，「起承転結」の「結」の働きだと言えます．演説やパーティーの挨拶でも，最後に「しまりの一言」があると説得力が増し，印象に残るものです（図 3B-8 ➡ 061 頁）．

7）一文は 40 字以内を目ざす

- 申請書を書くことに慣れるまでにお勧めしたいのは，まず文章をすべて書いてみることです．そのあとに，一文ごとに分解します．その実例を申請書を用いて示しました．この手法は申請書だけでなくすべての文章に用いることができます（図 4-9）．

- 皆さん，専門外の文章を読んでみてください．読みづらい文章には，1 つの文に 2 つ以上の内容が書かれていることが多いです．

- 私たちの話し言葉は，接続詞が多くダラダラしています．その調子で文章を書いてはいけません．

この実例は，第3章「C. 研究目的②」図 3C-8 ➡ 082頁 の「概要」に取り上げた実例の一部分です．ここでは，「見栄え」をよくするという観点から，もう一度示します．第4章「見栄え」のまとめとして用いてください． Before の欠点を正しく指摘できれば免許皆伝です．

　　超高齢化社会への移行に伴い過活動膀胱患者数は増加の一途を辿り，排尿障害や腎機能障害のQOLに及ぼす影響が問題に発生しているが，過活動膀胱の薬物治療は抗コリン薬等多いが効果は十分では無く，過活動膀胱の発症予防法や新規的治療薬の開発が期待される．

解説

❶ 121文字で一文になっている．一文40文字以内を目ざす．

❷ 漢字は76文字で，全体の約60%と多い．ひらがなにできないかを徹底して調べる．
例えば，「移行」「伴い」「増加」「辿り」「障害」「及ぼす」「発生」「薬物治療」「等」「無く」「発症」「新規的」は，ひらがな（あるいはひらがなを用いた別の言葉）に変換できる．

❸ この文には4つのことが書かれている．2～4つの文に分ける．

❹ 不要な文字や内容はないか，学術面から見ると正しいことだが申請書に必要かを見直す．
例えば，「患者（数）」「抗コリン薬等多いが」「効果は十分では無く」．

❺ 専門用語や学術用語が多いので，省けるものがないか調べる．
例えば，「超高齢化社会」「過活動膀胱」「排尿障害」「腎機能障害」「薬物治療」「発症予防法」「新規的治療薬」．

❻ 同じ言葉あるいは似た言葉など，重複した内容がないか調べる．
例えば，「過活動膀胱」が3回，「障害」が2回，また「発症予防法」と「新規的治療薬」が似ている．

❼ 複合名詞になっているところには，助詞を入れる．
例えば，「腎機能障害」→「腎機能の障害」．

　　超高齢社会とともに過活動膀胱は増加の一途をたどっている．排尿や腎機能の障害によるQOLの低下は社会問題を引きおこしている．しかし，過活動膀胱の治療法はいまだ十分ではなく，新たな薬剤の開発が望まれる．

解説

❶ 3つの文に分けた（それぞれ28文字，33文字，38文字．トータル99文字）．1つの内容を削り，できるだけシンプルにした．

❷ 漢字をひらがなに可能な限り変えた．漢字は44文字（約44%）に減った．学術用語が多いだけにこれが限界かもしれない．

❸ 申請書としてはいらない言葉を削った．

❹ 複合名詞を分けた．

❺ 重複する言葉（過活動膀胱，障害，新規的治療薬など）をできる限り削った．

図 4-9　実例；「見栄え」をよくする総集編

- 小泉純一郎元首相は短いフレーズで話し，説得力があることで有名でした．私は，小泉元首相の文章はやはり短い文なのか興味があります．

8) 言いたいことを強調する方法を会得する
（図 3C-8，9 ➡ 082〜093 頁，図 3D-4 ➡ 106 頁）

- <u>強調したいところには，ゴシック体，アンダーライン，波線，「　」，大きな文字サイズ，英語の斜体などを用います</u>．しかし，これらを乱用すると，何を強調したいのかがボケてしまいます．

- 強調することを考えると，基本に用いる字体は明朝体とするのが一般的です．申請者によってはゴシック体にする人がいます．確かに迫力のある申請書になりますが，強調したいときには困ります．強調するカードをすでに使いきっているからです．アンダーラインやゴシック体を用いすぎると，何を強調したいのかがボケてしまいます．それどころか読みづらくなることがあるので注意してください．

- 英文論文のリストを示すときも同じです．申請書では，業績の書き方は，研究代表者の名前に二重下線，研究分担者の名前に一重下線をひくことが指示されています．代表者の名前を太文字にすると何となく業績がよくなったように見えることがあります（図 3F-2-2 ➡ 125 頁）．

- これも控え目にするのがよいですが，アクセントは付いて，見栄えがよくなります．工夫してください．

5　申請書全体のレイアウトを見直す

1）レイアウトの良し悪しで申請書の中身も変わる

- 申請書を書き終えたところで，全体のレイアウトを見つめ直してください（科研費を申請する前のチェックリスト ➡xxii頁）．全体に統一感がありますか？　統一感をもたせることで，見栄えだけでなく，中身も引き立つようになります．

2）統一感をもたせるチェックポイント
（図 3C-8，9 ➡ 082～093頁，図 3D-2 ➡ 102頁）

ⓐ **用いる文字の種類やサイズを統一する**

ⓑ **段落と段落の間隔や，行間や文字の間隔を統一する**
- 段落の間隔の幅を一行単位ではなく，全体のバランスを見ながら「1.25 行」「1.30 行」のレベルで微妙に設定します．
- ちなみに本書は，「1.20 行」に設定しています．
- これらを操作するパソコンのガイドブックは，書店に多数並んでいます．

ⓒ **通し番号のつけ方を統一する**
- 本書では原則として，章，Ⅰ，❶，1），ⓐの順に用いています．
- それらの左マージンを揃えます．

ⓓ **同じ意味なら，同じ用語に統一する**
- ・尿路結石 ⟷ 腎結石　　・医療 ⟷ 診療
- ・実験動物 ⟷ モデル動物　・発生機序 ⟷ 発生機構
- ・受容体 ⟷ レセプター　　・本研究 ⟷ 私たちの研究

ⓔ **文末の表現，文体を統一する**
- 「である調」「ですます調」のいずれかに統一します．申請書では，「である調」がよいと思います．

ⓕ **書き方のくせにより，単調なリズムにしない**
- 文末
「〜です」「〜と考える」「〜を明らかにする」「〜を期待される」
- 接続詞
「しかし」「また」「〜ので」「〜だから」「〜だが」
- 同じ言い回し
「○○の△△の□□」「○○し，△△し，□□」

ⓖ **シンプルな表現にする（表 4-5）**

表 4-5　申請書によく見られる表現をシンプルにする例

実施する	→ おこなう（する）	同定を試みる	→ 同定する
施行する	→ おこなう（する）	挙げられる	→ ある
獲得する	→ 得る	着想するに至った	→ 着想した
〜を有しており	→ 〜があり	〜という事柄を	→ 〜ということを
存在する	→ ある	示唆する	→ 示す

ⓗ **同じ内容を重複させない．しかし強調したいことは何度か述べる**

- 本書でも，重要なところは，章あるいは項が変わるごとに，同じことを書いています．それらは申請書を作成するうえにおいてポイント中のポイントだからです．

ⓘ **文法上の問題はないかをチェックする**

- 主語と述語の一致．
- 修飾語と被修飾語は近くにあるか．
- 動詞と目的語も近くにあるか．

ⓙ **申請書の全体に，内容の齟齬や異なることはないかをチェックする**

- 申請書を書くとき，1 日ですべてを書き上げるわけではありません．書いているなかで，多少の変化があるものです．また指導者からのアドバイスで内容が変わることもあります．このようなとき，申請書の内容が無意識に異なっていることがしばしばあります．

- よく見られるのが，設備や消耗品の内容と研究目的や研究計画の内容とが異なっている申請書です．申請書を作成する段階で計画が若干変わったのだと思いますが，審査委員にはその事情はわからないので，「ずさんな計画」だと評価されても仕方ないです．

- 申請書を書き終えたら，提出前に初心に戻って読み返してください（科研費を申請する前のチェックリスト ⇒ xxii 頁，キラリと輝く申請書⑱，⑲ ⇒ 138 頁）．

付録

付録1　申請書を引き立てる表現

I. 「起」で主に用いる表現（研究の動向・位置づけ）

説明型	〜の注目すべき	報告があった 発表がされた 開発がされた
	〜はいまだに	明らかでない 解明されていない
注目型	〜の開発が	注目されている 国際的に望まれる 学術的に意義がある 社会的に求められる
課題型	〜の課題が	残されている 解決されていない
	〜の解明が 〜の整備が	急務である 急がれる 不可欠である 必要である 喫緊の課題である

II. 「承」で主に用いる表現（あなたの研究成果）

I　業績をアピールして表現する

連関型	「これら一連の研究において」
世界初型	「〜を実現した」 「〜の同定に成功した」 「世界で初めて発見した」 「世界に先がけて解明（実証，発明）した」
発展型	「〜に発展し」 「〜を可能とした」 「〜につながっている」 「〜に応用されている」 「〜への波及効果がある」 「展開を図った」
評価型	「社会に貢献した」 「〜に寄与する成果」 「〜を受賞（受章）した」 「国内外から高い評価をうけた」 「学術的価値が高い」 「社会的意義に優れた」

II　研究の準備状況を表現する

「〜の知見を得ている」
「〜を基盤として」
「十分な経験をもっている」
「学術的に認められている」
「〜を準備（確立，報告，計画，到達）している」
「〜を開発中である」

III　研究計画を表現する

「〜で調べる」
「〜を見い出す」
「〜を明らかにしたい」
「〜を用いて検証（証明，解明，評価，解析，開発）する」

Ⅲ．「転」で主に用いる表現（研究の着想）

Ⅰ 新規性・独創性を力強く表現する

「従来の定説を変える」
「これまでの概念（報告）をくつがえす」
「〜に着目（着眼）した」
「先端的な点は〜である」
「新規的（先端的）な研究計画は〜である」
「新たに開発した手法（機器）により〜」
「私たちが考案した分析法により〜」
「〜が特色（特徴，オリジナル）である」
「〜が独創的な（革新的な，萌芽的な，新たな，これまでにない）点である」
「〜の発想のもと」
「〜を進化（発展）させ」

Ⅱ 研究の対象・手法を魅力的に表現する

「〜を用いる」
「〜を応用（工夫，活用）する」
「〜の観点（4つの点，両面，側面）から」
「〜の面に立つと」「〜の仮定のもと」
「〜を基盤として」「〜の結果を踏まえ」

Ⅳ．「結」で主に用いる表現（研究目的，特色，発展性）

統合的に〜
これらの結果を踏まえ〜
以上の成果により〜
この実績をもとに〜
研究成果を展開させ〜
研究体制は継続して〜

〜研究（開発）する
〜探索（探究）する
〜解明する
〜検証する
〜証明する
〜確立する
〜提示する
〜取り組む
〜目ざす
〜実現させる
〜発展させる
〜示唆する
〜目的とする
〜究極のゴールである
研究環境は整っている
社会に寄与する
〜期待される
〜につなげる
〜世界に発信する
〜臨床応用する

付録2　文の接続に有用な表現

冒頭で切り出すときに用いる	「本研究の成果は」 「本研究の目的は」 「本研究の独創的な点は」	「この研究の学術的な特色は」 「今回私達の立案した計画は」
次へと展開するときに用いる	「この研究により」 「これらを発案して」 「〜をもとに発想し」 「そこで本研究では」 「以上のことをもとに」 「〜のアイデアのもと」	「これらの工夫により」 「当該研究のみならず」 「これまでの〜に着眼し」 「このような実験結果から」 「本研究ではこの点に着想し」
最後にまとめるときに用いる	「これらの成果から」 「以上の結果をもとに」 「こうした研究を通じて」 「これまでの〜を分析し」 「本研究の社会的意義は」	「これらの研究成果を踏まえ」 「こうした問題を解決するため」 「これらに関する成果をもとに」 「これまでの一連の研究において」

付録3　科研費の第1段審査(書面審査)における評定基準

(1) 研究課題の学術的重要性・妥当性(「研究経費」,「研究目的」欄など)
- 学術的に見て,推進すべき重要な研究課題であるか.
- 研究構想や研究目的が具体的かつ明確に示されているか.
- 応募額の規模に見合った研究上の意義が認められるか.

評点区分	評定基準
4	優れている
3	良好である
2	やや不十分である
1	不十分である

(2) 研究計画・方法の妥当性(「研究計画・方法」,「研究経費の妥当性・必要性」欄など)
- 研究目的を達成するため,研究計画は十分練られているか.
- 当初計画どおりに進まないときの対応が多方面に検討されているか.
- 研究期間,経費配分は妥当なものか.
- 研究代表者が職務とする研究と,別に行う研究の関連性及び相違点が示されているか.
- 公募対象としていない研究計画(公募要領参照)に該当しないか.
- 研究計画の最終年度前年度の応募については,公募要領の指示どおりになっているか

評点区分	評定基準
4	優れている
3	良好である
2	やや不十分である
1	不十分である

(3) 研究課題の独創性及び革新性(「研究目的」,「研究計画・方法」欄)
- 研究対象,研究手法,もたらされる研究成果等について,独創性や革新性が認められるか.

評点区分	評定基準
4	優れている
3	良好である
2	やや不十分である
1	不十分である

(4) 研究課題の波及効果及び普遍性(「研究目的」,「研究計画・方法」欄)
- 研究分野の進展に大きな貢献や新しい学問の開拓等,学術的な波及効果が期待できるか.
- 科学技術,産業,文化など,社会に与えるインパクト・貢献が期待できるか.

評点区分	評定基準
4	優れている
3	良好である
2	やや不十分である
1	不十分である

(5) 研究遂行能力及び研究環境の適切性(「研究組織」,「研究計画・方法」,「研究業績」,「これまでの研究費とその成果」,「準備状況,研究成果を発信する方法」欄など)
・これまでの研究費とその成果,研究業績等から見て,高い研究遂行能力があるか.
・研究組織全体として研究遂行能力は高いか,各研究分担者は役割を果たすか.
・研究計画の遂行に必要な研究施設・設備等,研究環境は整っているか.
・研究課題の成果を社会・国民に発信する方法等は考慮されているか.

評点区分	評定基準
4	優れている
3	良好である
2	やや不十分である
1	不十分である

(6) 研究計画と研究進捗評価を受けた研究課題の関連性
・研究進捗評価結果を踏まえ,更に発展することが期待できるか.

評点区分	評定基準
4	更に格段の発展が期待できる
3	更に発展が期待できる
2	更なる発展はあまり期待できない
1	更なる発展はほとんど期待できない
―	研究進捗評価を受けた研究課題との関連性はない別個の研究課題である

〔総合評点〕
・上記評価結果を参考に,下表の基準に基づいて,5段階評価を行い,総合評点を付す.
・絶対評価を基本としつつも,下表右欄の評点分布を目安として,偏った評価にしない.

評点区分	評定基準	評点分布の目安
5	非常に優れた研究提案であり,最優先で採択すべき	10%
4	優れた研究提案であり,積極的に採択すべき	20%
3	優れた研究内容を含んでおり,採択してもよい	40%
2	研究内容等にやや不十分な点があり,採択の優先度が低い	20%
1	研究内容等に不十分な点があり,採択を見送ることが適当	10%
―	利害関係があるので判定できない	―

〔独立行政法人日本学術振興会:科学研究費助成事業第1段審査(書面審査)の手引.平成28年12月を改変〕

付録4　予算額等の推移
1. 予算額・助成額の推移

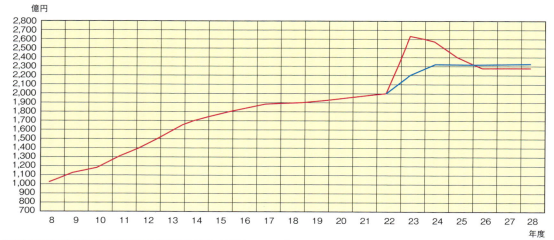

年度	8	9	10	11	12	13	14	15	16	17	18	19	20	21	22	23	24	25	26	27	28
予算額（億円）	1,018	1,122	1,179	1,314	1,419	1,580	1,703	1,765	1,830	1,880	1,895	1,913	1,932	1,970	2,000	2,633	2,566	2,381	2,276	2,273	2,273
対前年度伸び率(%)	10.2	10.2	5.1	11.5	8.0	11.3	7.8	3.6	3.7	2.7	0.8	0.9	1.0	2.0	1.5	31.7	-2.5	-7.2	-4.4	-0.1	0.0
助成額ベース（億円）	—	—	—	—	—	—	—	—	—	—	—	—	—	—	—	2,204	2,307	2,318	2,305	2,318	2,343
対前年度伸び率(%)	—	—	—	—	—	—	—	—	—	—	—	—	—	—	—	—	4.7	0.5	-0.6	0.6	1.1

※平成23年度から一部種目に基金化を導入したことに伴い、予算額に翌年度以降に使用する研究費が含まれることとなったため、予算額が当該年度の助成額を示さなくなったことから、平成23年度以降、当該年度の助成額を集計している。

2. 応募・採択の状況

3. 採択率（上段：新規，下段：新規＋継続）

年度	8	9	10	11	12	13	14	15	16	17	18	19	20	21	22	23	24	25	26	27
採択率(%)	26.1	24.6	22.2	21.8	21.6	21.1	22.7	21.4	22.5	21.6	21.5	22.2	20.3	22.5	22.1	28.1	27.9	27.0	26.6	26.2
採択率(%)	35.1	34.0	37.6	36.1	37.3	35.8	38.5	37.9	40.7	38.6	38.6	40.4	38.4	40.3	44.2	48.4	50.8	50.1	49.7	49.1

〔平成29年度科学研究費助成事業 科研費公募要領. p107, 独立行政法人日本学術振興会, 2016を改変〕

付録5　問い合わせ先等

1　この公募に関する問い合わせは，研究機関を通じて下記あてに行ってください。
(1) 公募の内容に関すること：
　・公募要領全般
　　　独立行政法人日本学術振興会 研究事業部 研究助成企画課
　　　電話 03-3263-4796
　・研究計画調書
　　　独立行政法人日本学術振興会 研究事業部 研究助成第一課
　　　電話 03-3263-4758,0996,4779,4724
　・特別推進研究，基盤研究(S)
　　　独立行政法人日本学術振興会 研究事業部 研究助成第二課
　　　電話 03-3263-4254(特別推進研究担当)　03-3263-4388(基盤研究(S)担当)
　・基盤研究(A・B・C)，若手研究(A・B)
　　　独立行政法人日本学術振興会 研究事業部 研究助成第一課
　　　電話 03-3263-4758,0996,4779,4724
　・挑戦的研究(開拓・萌芽)
　　　独立行政法人日本学術振興会 研究事業部 研究助成企画課
　　　電話 03-3263-0977
　　※ 土曜日，日曜日，国民の祝日及び年末年始(12月29日～1月3日)，創立記念日(9月21日)を除く
(2) 科研費電子申請システムの利用に関すること：
　・コールセンター
　　　電話 0120-556-739(フリーダイヤル)　受付時間：9：30～17：30
　　※ 土曜日，日曜日，国民の祝日及び年末年始(12月29日～1月3日)を除く
　・上記以外の電話
　　　独立行政法人日本学術振興会 総務企画部 企画情報課システム管理係
　　　電話：03-3263-1902,1913
(3) 府省共通研究開発管理システム(e-Rad)の利用に関すること：
　・e-Radヘルプデスク
　　　電話：0570-066-877(ナビダイヤル)　受付時間：9：00～18：00
　　※ 土曜日，日曜日，国民の祝日及び年末年始(12月29日～1月3日)を除く
　　※ 上記ナビダイヤルが利用できない場合　電話：03-5625-3961
　　＜留意事項＞
　　　① e-Radの操作方法
　　　　e-Radの操作方法に関するマニュアルはポータルサイト(URL：http://www.e-rad.go.jp)から参照またはダウンロードすることができます。利用規約に同意の上，応募してください。
　　　② システムの利用可能時間帯
　　　　(月～日)0：00～24：00(24時間365日稼働)
　　　　ただし，上記利用可能時間帯であっても保守・点検を行う場合，運用停止を行うことがあります。運用停止を行う場合は，ポータルサイトであらかじめお知らせします。
(4) 「研究機関における公的研究費の管理・監査のガイドライン(実施基準)」に基づく「体制整備等自己評価チェックリスト」に関すること：
　　　文部科学省研究振興局振興企画課競争的資金調整室
　　　電話：03-6734-4014
(5) 「研究活動における不正行為への対応等に関するガイドライン」に基づく「取組状況に係るチェックリスト」に関すること：
　　　文部科学省科学技術・学術政策局人材政策課研究公正推進室
　　　電話：03-5253-4111(内線：3874,3873,4028)
(6) 「バイオサイエンスデータベース」に関すること：
　　　国立研究開発法人科学技術振興機構バイオサイエンスデータベースセンター
　　　電話：03-5214-8491
(7) 「大学連携バイオバックアッププロジェクト」に関すること：
　　　大学共同利用機関法人自然科学研究機構IBBPセンター事務局
　　　電話：0564-59-5930,5931

2　この公募要領に記載している内容は，日本学術振興会のホームページで御覧いただけます。
　　また，応募書類の様式は，次のホームページからダウンロードすることができます。
　　　日本学術振興会科学研究費助成事業ホームページ
　　　URL：http://www.jsps.go.jp/j-grantsinaid/index.html

〔平成29年度科学研究費助成事業 科研費公募要領．pp108-109，独立行政法人日本学術振興会，2016より〕

付録6　新たな応募書類（研究計画調書）

　新たな審査システムへの移行に伴い，できるだけ，応募書類（研究計画調書）や審査基準の見直しも行いました。平成30年度公募からは新たな応募書類を使用することになりますので，詳しくは，9月頃に公開される公募要領をご確認ください。

※平成30年度公募で使用する研究計画調書は，枠線・罫線等を削除するとともに，電子申請システムでの入力項目を増やす予定です。

　　　研究計画調書の
　　　主な記載内容
　　（「基盤研究種目」）の抜粋
　　　　※検討イメージ

　公募要領は，各研究機関に送付するとともに，文部科学省及び日本学術振興会の科研費ホームページで，研究計画調書も公開しています。
　英文版の公募要領や研究計画調書も公開しており，英文による応募も可能です。
　応募は電子申請システムによりオンラインで行うことができ，応募手続の円滑化，迅速化を図っています。

1　研究目的，研究方法など

　本研究計画調書は「中区分」の審査区分で審査されます。記述に当たっては，「科学研究費助成事業における審査及び評価に関する規程」（公募要領）を参考にしてください。
　本欄には，本研究の目的と方法などについて記述してください。
　冒頭にその概要を簡潔にまとめて記述し，本文には，(1)本研究の<u>学術的背景，研究課題の核心をなす学術的「問い」</u>，(2)本研究の<u>目的および学術的独自性と創造性</u>，(3)本研究を<u>どのように，どこまで明らかにしようとするのか</u>，について具体的かつ明確に記述してください。
　本研究を研究分担者とともに行う場合は，研究代表者，研究分担者の具体的な役割を記述してください。

2　本研究の着想に至った経緯など

　本欄には，(1)<u>本研究の着想に至った経緯</u>，(2)関連する<u>国内外の研究動向と本研究の位置づけ</u>，(3)<u>これまでの研究活動</u>，(4)<u>準備状況と実行可能性</u>，について記述してください。
　なお，「(3)これまでの研究活動」の記述は，研究活動を中断していた期間がある場合にはその経緯等についての説明などを含めても構いません。

※上記の他，記載内容については以下の変更等を行う予定です。

3　研究代表者および研究分担者の研究業績

〈変更点〉
- 従前の様式では，過去5年の業績を中心に応募課題に関連するものについて記載を求めていたことを改め，応募課題に関連するものに限らず，また発表年に関わらず，応募者にとって重要と考える業績を自由に記入できるように変更
- 従前の様式では，必要に応じて記入できるとしていた連携研究者は記入の対象から外す

4　人権の保護および法令等の遵守への対応
5　研究計画最終年度前年度応募を行う場合の記入事項
　→特段の変更なし

6　研究費とその必要性
7　研究費の応募・受入等の状況

〈変更点〉
記入内容に基本的に変更はないが，応募者の利便性向上を図るため，電子申請システム上で入力するように変更

〔文部科学省：科研費改革の進展―知のブレークスルーを目指して．p11，2017より改変〕

索引

数字
2 段階書面審査　29
3 要素　4, 39, 66, 98, 141
12 の条件　11

A・C
abstract　45
CIO　32

あ
アイデア　4, 13
新物好き型　73
アンダーライン　77, 79, 81, 94, 154

い
イタリック体　148
一文の長さ　94
インパクト　41
引用　145

う
運　20
運営費交付金　10

え
英語　81, 150
　──の用い方　55
英文字　148

お
大型助成金　70
大きな文字　154
恩人　15

か
外国旅費　136
改変, 図表の　145
概要
　──, 研究計画の　99
　──, 研究目的の　44
かぎかっこ　154
学術的意義　76
学術的な特色　76
学術的背景　63, 68, 70
学術変革研究　27
科研費若手支援プラン　32
科研費を申請する前のチェックリスト　xxii
箇条書き　70, 74, 81, 109, 144
仮説　19
学会発表　71, 79, 145
家庭　16
漢字　94, 151
　──の用い方　55
間接経費　21
感動　18

き
起　47, 48
　──, 研究目的の　68
キーワード　40, 53
起承転結　46, 48, 150
　──の配分　52
　──の分量　52
基礎知識　19
基盤研究　27
基盤研究（A）　30
基盤研究（B, C）　29
基盤研究（S）　30
脚注　95
行間　80, 120, 143, 155
狭義の研究目的　51
業績　4, 118
競争的資金の適正な執行に関する指針　129
強調　154
共同研究　18
共同研究者　71, 111, 113, 115
気力　19

く・け
グレースケール印刷　81, 145
経済的余裕　15

継続性　17
結　48, 51
　——, 研究目的の　74
研究課題　38
研究活動スタート支援　26
研究環境　115
研究業績　118
研究協力者　115
研究計画　50
研究計画・方法　96
研究経費　131, 133
研究サイクル　15, 21, 22
研究時間　9
研究施設　115
研究資料　115
研究成果　49, 70, 114, 126
研究体制　111
研究代表者　126
研究デザイン　103
研究動向　47, 63
研究の楽しさ，美しさ　6, 10, 94
研究の手順　103
研究費　9, 15, 126
　—— の受け入れ等の状況　137
　—— のエフォート　137
　—— の応募　137
研究分担者　111, 126
研究目的　63
　——, 概要　44
　——, 狭義の　51
研究力　10
研究倫理　129, 135
研究をするための 12 の条件　11

こ

広報用パンフレット　116
公募要領　25, 27, 116, 129
国内外の動向　68
国内旅費　136
国民への発信　114
志, 研究の　11
ゴシック体　77, 81, 94, 154
小見出し　70, 81, 109, 144
これまでの研究成果　70
コンクルージョン　69

さ

採択される 3 要素　4, 39, 66, 98, 141
採択率　34
サブタイトル　40
サブテーマ　51
サポーティング・センテンス　69
産業財産権　79, 123
参考文献　69

し

時間的余裕　16
支持文　69
字形　120, 148
実験試薬　136
実験動物　136
指導者　13, 71
しまりの一行　152
市民公開講座　116
社会的意義　77
社会への還元　42
社会への発信　114
謝金　136
謝辞　116
充足率　34
自由と創造　19
自由な発想　19
受賞　70
主題文　69
受動態　42
準備状況　114
承　48, 49
　——, 研究目的の　70
小区分　28, 29
招待講演　79
消耗品費　133, 136
将来性　77
書面審査における評定基準　160
白黒印刷　81, 145
新学術領域研究　27, 30
人件費　136
人権保護　129
審査区分表　28
審査の評定基準　98
審査方式　28
シンプルな表現　156

す

数字　148
図表　70, 71, 81, 95, 109, 145
スペース　80, 143

せ・そ

成果　126
接続詞　53
設備　115
設備備品費　133, 135
説明文　69
セレンディピティ　20, 94
先端技術　13
専門用語　81, 151
　——の用い方　55
総合審査　30

た

第1段審査における評定基準　160
大学教員　9
大規模研究種目　30
大区分　28, 30
体言止め　70
タイトル　39
体力　19
妥当性，研究経費の　131
段落　81, 144, 155

ち

チェックリスト　xxii
治験型　73
知的財産権　123
着想　50, 72
　——，研究成果を踏まえた　70
　——までの経緯　63
中区分　28, 30
挑戦的研究（開拓・萌芽）　27, 30, 33
重複　156
直接経費　126

つ

追試型　73
つかみの一文　152

て

である調　155

ですます調　155
転　48, 50
　——，研究目的の　70

と

問い合わせ先，公募に関する　163
統一感　155
統計記号　148
投稿中　79
倒置法　51
通し番号　123
独創性　76
特別講演　70
特別推進研究　30
図書　136
特許　70, 71, 79
特許出願番号　123
トピック・センテンス　69
努力　20

な・に

〜ない型　73
波線　154
人間性　13
忍耐　17

ね・の

熱意　122, 145
能動態　42

は

配分，研究目的の　78
発展性　72, 77
パラグラフ・ライティング　69, 105, 144

ひ

必要性，研究経費の　131
評定基準，第1段審査　160

ふ

フィールドワーク　136
複合名詞　42
副題　40
文具　136
文献　78, 108
文体　155
文法上の問題　156

ほ

法令の遵守　129
ホームページによる発信　116

ま

マージン　80, 143
マスコミ報道　79
マスメディア　116

み

水増し　49
見栄え　4, 80, 140
未発表データ　81, 95, 145
明朝体　154

も

目標，研究の　11
文字数　148
文字の大きさ　148
文字の間隔　80, 120, 143, 155

よ

予想される結果　76
余白　145

予備実験　71, 81, 145
読みやすさ　55
余裕のスペース　80, 143

り

略語　81, 151
──の用い方　55
留学生　8
凌雲之志　12
旅費　133

れ

レイアウト　155
連携研究者　111, 115

ろ

論文　70, 145
論理性　144
論理的　150

わ

若手研究　26, 27, 29, 32
わかりやすさ　55